RETOUR AUX MOTS SAUVAGES

DU MÊME AUTEUR

La Réserve, Dominique Gueniot, 2000.
Central, Fayard, 2000.
Composants, Fayard, 2002. Mention du prix Wepler.
Paysage et portrait en pied-de-poule, Fayard, 2004.
1937 Paris-Guernica, Maren Sell, 2007.
CV roman, Fayard, 2007.
Bestiaire domestique, Fayard, 2009.

Thierry Beinstingel

Retour aux mots sauvages

roman

Fayard

ISBN : 978-2-213-65475-1

« [...] les Vierges Vigilantes dont nous entendons chaque jour la voix sans jamais connaître le visage, et qui sont nos Anges gardiens dans les ténèbres vertigineuses dont elles surveillent jalousement les portes ; les Toutes-Puissantes par qui les absents surgissent à notre côté, sans qu'il soit permis de les apercevoir ; les Danaïdes de l'invisible qui sans cesse vident, remplissent, se transmettent les urnes des sons ; les ironiques Furies qui, au moment que nous murmurions une confidence à une amie, avec l'espoir que personne ne nous entendait, nous crient cruellement : "J'écoute" ; les servantes toujours irritées du Mystère, les ombrageuses prêtresses de l'Invisible, les Demoiselles du téléphone ! »

Marcel Proust, *Le Côté de Guermantes.*

1

Retour au travail, course pour être à l'heure : il arrive un matin dans le service. Il entre sans frapper, il se sait attendu. Il reste cependant à peine le seuil franchi, bras ballants. On le regarde. Certains sont déjà en conversation, casque sur les oreilles. Le chef lui serre la main. Tiens, le nouveau, tu n'auras qu'à te mettre là. Là, c'est une chaise qu'il pousse à côté d'une collègue déjà assise. Moi, c'est Maryse, elle fait. Le chef s'appuie des deux mains sur le bureau et dit à Maryse : Tu n'auras qu'à lui montrer. Puis à celui qu'il a baptisé le nouveau : Tu n'auras qu'à écouter. Mais déjà on l'appelle du fond de la salle. Le chef dit : Excusez-moi, puis s'en va. Maryse se tourne vers le nouveau et soulève son casque : Tu viens d'où ? Il dit le nom d'un autre service de l'entreprise, dans une autre ville. Ses mains sont bien à plat sur ses genoux. Le dos est voûté. Maryse hoche la tête sans cesser de sourire : Ici, il y en a déjà quelques-uns, des comme toi. Il fait mine de bouger ses mains comme s'il s'apprêtait à répondre mais Maryse regarde soudain son téléphone où clignote une lumière. Elle appuie sur un bouton, rajuste son casque et annonce d'une voix d'hôtesse le message d'accueil de l'entreprise. Il se contente de hocher la tête à son tour et ses doigts épais reposent à nouveau sur ses cuisses. Il porte un jean et un pull-over, comme avant. Sauf que sa femme ce matin lui a fait la remarque qu'il pourrait mettre un pantalon plus neuf, son nouveau métier sera moins salissant tout de même. Alors la paume de ses mains racle le tissu encore lustré. Il examine le casque. C'est un modèle léger, posé par-dessus la chevelure de Maryse. Une mèche raide, d'une teinte plus blonde, balaie un petit microphone que Maryse ajuste de deux doigts près de sa bouche tout en continuant de parler d'une voix d'hôtesse. Elle se tourne vers lui en levant les yeux au ciel : il comprend que ce doit être un client difficile. Il essaie d'accrocher quelques mots, tarifs, options à rajouter, assurance vol. C'est compliqué et lointain. Et dire que c'est son nouveau travail : devenir une Maryse avec une voix d'hôtesse. Il n'y arrivera jamais ; il sent à nouveau sa gorge se nouer comme cela lui est arrivé bien des fois depuis qu'on lui a dit que son boulot disparaissait. Parler n'a jamais été son fort. Lui, c'est le câblage et l'électricité depuis son apprentissage. Pas besoin de discussion, on se comprend vite entre gens des métiers techniques, il n'y a qu'à suivre les couleurs des fils, repérer les cosses à sertir. La conversation de la journée consiste à commenter les résultats de foot, émailler le discours d'un argot de village, dire « putain » en guise de ponctuation et l'autre en face pige sans détour. Au boulot, on sifflote quand on est content, on ferme sa gueule quand ça ne va pas. Tout un monde s'est bâti comme ça au fil des années depuis le bruit assourdissant des perceuses au lycée professionnel en remplacement des poèmes de Ronsard que les élèves de la section générale récitaient. Et si, par hasard, l'un des jeunes ouvriers avait eu un vague souvenir de « Mignonne allons voir si la rose qui ce matin avait éclose », cela aurait été singé avec une voix fluette devant les copains, histoire de bien montrer qu'on n'était pas dupes de ces récitations pour fillettes. À force, on s'était un peu policés quand on avait fréquenté les futures épouses et, avec la venue des enfants, il avait bien fallu apprendre à causer, expliquer, parler autrement que par onomatopées. C'était nouveau et pas déplaisant de voir deux grands yeux à votre image qui vous fixaient comme si ce qu'on était en train de raconter était la chose la plus importante au monde. Pourtant, il suffisait d'un énervement, un verre cassé, un plat renversé, pour que le naturel, comme on dit, revienne au galop, et avec, les noms d'argot réservés au travail. Et un jour, on lui avait dit...

Maryse se tourne vers lui : Hé, tu m'écoutes ? Le nouveau hoche la tête. Elle explique alors le cas du client précédent, sort un prospectus, montre des paragraphes. Il avance un peu son buste, les mains toujours calées sur les cuisses. Le chef, au fond de la salle, s'écarte un instant de son interlocuteur et les regarde de loin, lui, le nouveau, penché sur le prospectus, et Maryse, légèrement tournée, son casque à la main. Le chef semble rassuré et dit au hasard « oui, oui » à son interlocuteur qui continue de lui parler. Mais déjà Maryse brandit un autre prospectus en disant : Parce que là, c'était encore assez simple mais imagine que le client... C'est à ce moment qu'un des gars des bureaux voisins arrive, un grand type à cheveux gris en bataille avec une chemisette froissée, des sandales aux pieds et un jean vraiment usé. Holà, Maryse, lui raconte pas d'histoires, au nouveau ! Il lui fait en même temps un clin d'œil et Maryse prend un air faussement outré. Tu viens boire le café, le nouveau ?

La salle de repos est équipée de deux micro-ondes et d'un distributeur. Elle est déserte, à l'exception d'un seul gars complètement chauve qui marmonne un bonjour et continue d'éplucher consciencieusement une pomme. Le nouveau met la main dans sa poche mais l'autre lui dit : Non, c'est pour moi. Le café est brûlant mais pas sucré, il a appuyé sur la mauvaise touche. Il y a des tables et des chaises bistrot. Il en prend une et pose son café sur le Formica de la table tout en faisant tourner le gobelet entre ses doigts. Son autre main a rejoint sa cuisse et le tissu lustré du jean neuf. Le grand type est resté debout et s'appuie à la table qui supporte les micro-ondes, qui, du coup, heurtent le mur avec le bruit des plateaux tournants qui s'entrechoquent contre les parois. Il boit une lampée en aspirant à grand bruit sans cesser de regarder le nouveau. Puis il dit : T'étais à…, avec le nom du service qui ferme dans la ville voisine, deux mots qu'il vaut mieux éviter. Le nouveau acquiesce d'un signe. C'est drôle, il aura fait pendant trente ans un métier sans rien dire et les rares mots qu'il aura prononcés, il faudrait maintenant les oublier. Et tout cela pour un nouveau boulot fait de paroles avec un casque sur la tête. Le grand type raconte : Moi, ça fait déjà cinq ans que je suis ici. Je suis arrivé au même âge que toi. Hein, t'as quel âge ? Cinquante-trois, cinquante-quatre ans ? Tu verras, ça passe vite. Il me reste une vingtaine de mois à tirer et après, à moi la retraite et la belle vie ! Pas vrai, le chauve ? Le gars acquiesce tout en continuant de mâchonner sa pomme. Il y a un silence. On entend juste le bruit des mâchoires. Le grand type se redresse et les micro-ondes se décollent du mur avec brutalité. Puis il va vers la fenêtre et regarde. C'est un jour gris, sans intérêt. Il dit d'une voix sourde, face à la vitre : Tu verras, tu t'y feras. Le plus dur, c'est de s'habituer à parler pour ne rien dire. Et surtout, se méfier du silence. Il fait face au nouveau, soudain plus grave : Ce qui compte ici, c'est de dire les mots qui sont écrits sur ton écran. Parler, parler au client, le noyer sous tes mots. C'est facile, c'est comme lire à voix haute. Ce que le client te raconte, n'y prête jamais attention. Ton seul but, c'est lire ce qui est écrit sur l'écran. Si tu le comprends, tu es sauvé, tu peux penser à autre chose pendant que tu parles. Ton esprit vogue ailleurs. Vers ta femme ou ta maîtresse, tes enfants ou tes prochaines vacances. C'est le métier d'opérateur. Le chauve a fini sa pomme et quitte la salle. Le grand type désigne la porte qui se referme : Lui aussi, il est comme nous tous, il a fait un métier où seuls les gestes comptaient, serrer des boulons, manier un tournevis. Comme nous tous il est arrivé ici après des dizaines d'années de silence. Comme nous tous : un nouveau vieux dans ce centre d'appels. Il a eu du mal au début : la parole contre le silence, la bouche contre la main, c'est un drôle de combat. C'est pourquoi il mange des pommes. Pour ne jamais laisser ses mâchoires au repos. C'est important, souviens-toi bien. Mais attention, tout n'est pas bon à faire : j'ai vu des types déglutir si souvent pour que la langue reste en mouvement qu'ils finissaient par ne plus avoir de salive, leur cou triplait de volume, leur gorge était si irritée qu'ils ne pouvaient plus fermer la bouche. Moi, je parle tout le temps, c'est ma méthode.

Le nouveau frotte sa paume sur le tissu lustré du jean neuf. Il regarde ses mains épaisses, encore calleuses. Il se demande combien de temps ça prendra pour qu'elles ramollissent, qu'elles aient la consistance d'une bouche. Il voudrait commencer à bien faire mais les mots ne viennent pas encore. Le grand type ajoute : Quand le client est au bout du fil, t'as qu'à penser que t'expliques quelque chose à tes gosses, ça viendra tout seul. Sans le savoir, c'étaient les mots que le nouveau voulait entendre. Le grand type a jeté son gobelet vide dans la poubelle : Allons rejoindre Maryse. Les femmes ont un avantage par rapport à nous : elles ne s'arrêtent jamais de parler. Puis il chantonne d'une voix comique : Allons voir Maryse, allons voir si la rose qui ce matin avait éclose...

2

On lui a dit qu'il fallait se choisir un prénom pour le message d'accueil – celui qu'il veut : Paul, George, John ou Ringo, comme les Beatles. Les filles mettent plus de temps à en sélectionner un qui convienne. Vanessa, ça fait trop 36 15 suivi d'une désignation exotique similaire comme ceux qu'on voit sur les affichettes sauvages qui ornent les poteaux, à l'arrêt des feux rouges, ou celles, plus grandes, qu'on aperçoit sous les piles de pont le long de l'autoroute : 36 15, filles torrides, *hotline*, lignes chaudes, visages devenant blafards : ne reste après quelques semaines que le coin d'un œil coquin, la trace délavée de lèvres charnues, entrouvertes sur des promesses de rien, l'ensemble noyé dans la trace bleue à force d'intempéries. *Exit* donc les Adriana, Claudia, si toutefois on voulait endosser la robe d'un mannequin, se souvenir que oui, on a été pas mal aussi à seize ans en maillot de bain sur une plage en Espagne, un peu maigre encore derrière les parents. Et les mêmes, vieillissants, incapables de se souvenir d'une telle image pour la fille qui leur rend visite une fois par semaine, la taille épaissie, la coiffure teinte pour cacher les cheveux blancs, évoquant les difficultés de l'aîné à trouver du boulot, le deuxième que l'adolescence travaille et la dernière – trésor que le fruit de cette grossesse certes tardive – dont l'institutrice ne fait que des compliments. Certaines optent pour Simone, ça fait prénom de grand-mère, du coup pas embêtées par les dragueurs. On en plaisante les premiers jours. Il y a toujours quelqu'un pour rappeler à l'une qu'elle a choisi le prénom d'une actrice, Isabelle comme Adjani, Juliette comme Binoche, Elizabeth, comme l'héroïne interprétée par Kim Basinger dans *Neuf semaines et demie*. Oh, oh ! fait un collègue en rigolant. L'intéressée répond : Remballe tes fantasmes, c'est mon vrai prénom.

En réalité, on ne le prononce qu'une fois, lors de l'enregistrement du message d'accueil : X (le nom de l'entreprise), bonjour, Elizabeth (ou Juliette, Isabelle, Simone, Claudia, Adriana, Vanessa, Paul, George, John ou Ringo), que puis-je pour votre service ? Après, on ne sait ce qu'il devient, on n'entend plus jamais cette nouvelle identité, sauf lorsqu'un client prend un malin plaisir à vous le rappeler : Eh bien, bonjour, Elizabeth (ou Juliette, Isabelle, Simone, Claudia, Adriana, Vanessa, Paul, George, John ou Ringo), j'aimerais modifier (souscrire, résilier) mon contrat, etc. L'enregistrement reste dans la machine, comme on dit, sorte de vaste agglomérat technique dont la principale manifestation visible réside dans l'afficheur numérique suspendu en haut d'un mur à la vue de tous et qui rappelle que tant de clients sont en cours de traitement, que tant d'autres reçoivent en ce moment le fameux message d'accueil. Car il est destiné à gagner encore du temps, bien qu'il intervienne après tout une série de dispositifs qui tendent au même but : faire patienter, gérer les files d'attente, comme on dit encore. Ainsi, lorsque vous appelez, vous recevez un premier message pour bien vous confirmer que vous ne vous êtes pas trompé de numéro, puis, selon ce que vous désirez, il faudra taper 1, ou 2, ou 3, parfois même 6 ou 7 pour des services s'occupant de produits complexes ; de toute façon, c'est généralement le 9 pour être mis en relation avec un opérateur. Après vous avoir encore renseigné sur le temps d'attente, vous avoir indiqué que votre appel peut être enregistré pour parfaire la qualité de service de l'entreprise, la voix suave s'arrête enfin pour laisser la place à une musique de patience. Là aussi des progrès ont été accomplis : fini, le vieil air métallique à relents de boîte à musique, évoquant vaguement Les Quatre Saisons de Vivaldi ou un Nocturne de Chopin, on peut trouver indifféremment *I Will Survive* de Gloria Gaynor, un vieux tube des Stones, plus probablement un air plus calme, mais jamais une chanson française. Après un certain temps, quand la musique est venue au bout de votre patience, le message d'accueil se déclenche : X (le nom de l'entreprise), bonjour, Elizabeth (ou Juliette, Isabelle, Simone, Claudia, Adriana, Vanessa, Paul, George, John ou Ringo), que puis-je pour votre service ? Vous croyez qu'Elizabeth vous parle mais elle vient justement de dire à l'instant au revoir à un autre client vous précédant. Et s'affiche sur son écran vos nom, adresse, pédigree et services fournis si vous êtes déjà client. Vous répondez à un bonjour qu'Elizabeth ne vous a jamais formulé personnellement, mais à la cantonade et devant un microphone anonyme, en recommençant deux ou trois fois parce que ce n'était pas assez clair, le débit de paroles était trop rapide ou trop lent, il y avait du souffle ou des parasites. Vous enchaînez sur la question qu'Elizabeth ne vous a pas posée directement. Illico, Elizabeth : Vous êtes bien monsieur... (épeler le nom s'il est compliqué ou de consonance étrangère) ? Vous habitez bien à... ?

20

Bon alors, pour le prénom, tu as choisi ? Oui, ce sera Éric. Le chef ne dit rien, ne pose pas de question quant à savoir pourquoi il a choisi ce prénom qui n'est pas le sien. Le nouveau ne sait pas trop au juste. Éric, c'est aussi deux syllabes et c'est un prénom de la même génération. Il passe à l'enregistrement. Bien du premier coup, comme le permis de conduire. On le félicite. Il trouve le compliment un peu puéril, mais réconfortant. À la fin de la journée, le grand type lui dit en partant : Pourquoi t'as pas choisi George, comme George Clooney ? Tu aurais eu toutes les filles à tes pieds au téléphone. Il fait quelques pas, imite la démarche d'Aldo Macione. Moi c'est Robert, à cause de Robert Redford. En fait, je n'ai pas eu de chance, je suis tombé dans la période où ils avaient décidé de nous attribuer d'office des prénoms avec une lettre par année, comme pour les chiens de chenil, les chats de race ou les chevaux de course. Une idée de la direction pour connaître plus facilement l'ancienneté des arrivants. C'était l'année des R, j'ai opté pour Robert et le chauve a choisi Roland. Ça n'a pas duré, les syndicats ont dénoncé cette mesure. Moi, je m'en fichais, pour une fois qu'on me traitait comme un pur-sang, ajoute-t-il avec un clin d'œil.

3

Il faut se représenter ce que signifie ne jamais dire bonjour mais toujours au revoir. C'est la politesse à moitié abolie, mais donner éternellement congé, au rythme d'un appel toutes les quatre ou cinq minutes, ça ne fait jamais que douze à quinze par heure, ce n'est pas la mort, va. On sort le soir, on va chercher le pain, on ne salue plus la boulangère mais on souhaite une bonne soirée à tout le monde en partant. Fatigue. Le bourdonnement des conversations de la journée a du mal à s'estomper. Douze à quinze par heure, mais avec les pauses réglementaires et les acquis sociaux ça fait beaucoup moins, on peut descendre parfois à quatre-vingt-dix appels par jour, ce n'est vraiment pas la mort. On ira au lit de bonne heure, dit Maryse. Avec lequel d'entre nous ? rétorque Robert, qui ne rate jamais une occasion.

Les premiers temps, de retour chez lui, le nouveau dort comme une masse. Répondre au téléphone lui vrille la tête, l'oreillette est un marteau. Le chef lui dit de patienter, qu'il va avoir un audiogramme à la prochaine visite médicale. Maryse fronce les sourcils : Ils s'en foutent ; t'inquiète pas, on te fait le test dans l'infirmerie, c'est juste à côté du remue-ménage des cuisines de la cantine ; tu verras, on te convoquera vers midi, quand le bruit est le plus fort. L'apprentissage est compliqué, il faut se fourrer les termes des contrats dans la tête et toute la panoplie des services proposés. Ça s'ajoute au mal de tête. Mais il progresse, il apprend vite, lui dit le chef. C'est une satisfaction. Maryse le laisse faire de plus en plus. À la fin de la première semaine, il est déjà capable de répondre à quelques sollicitations simples concernant les offres de base. On le laisse bientôt seul à un poste de travail. Il lit l'écran avec application. Vous êtes bien monsieur/madame/mademoiselle X ? Vous habitez bien numéro/nom de rue/ ville ? Les clients sont polis. Maryse lui dit qu'il a de la chance parce que, elle... Robert, qui écoute d'une oreille distraite tout en répondant à un appel, coupe soudain son microphone, décroche son casque et lance à Maryse tout en faisant un clin d'œil : Qu'est-ce que tu veux, c'est l'autorité naturelle de l'homme ! Puis, reprenant d'une voix suave sa conversation :

Madame… madame ? J'ai cru que nous étions coupés…

L'insomnie arrive au milieu de la nuit avec la sensation de bourdonnements. Au début il croit que c'est à cause de l'oreillette, mais il s'aperçoit bien vite que ce murmure a une autre origine, que ce sont des conversations réelles qui le poursuivent. Impossible de distinguer des mots, c'est une rumeur, quelque chose d'indistinct, comme si toutes les intonations de la journée s'étaient accumulées dans sa boîte crânienne pour se répercuter dans la nuit. Et puis l'histoire de ses mains l'obsède, les paroles de Robert restent fichées dans sa mémoire : le drôle de combat, la bouche contre la main. Il les sent inutiles sur les plis des draps, fait bouger des doigts encore épais, des tendons déjà mous, savoir quand tout ça va se racornir au profit de la langue déjà plus dense au fond de la gorge. Un matin, elle lui a dit : Tu as ronflé cette nuit. Ça lui arrivait rarement jusque-là. La peur alors que toute la bouche enfle, la luette collée contre le palais, les amygdales énormes qui rétrécissent la trachée. Un autre matin, il remarque en sortant d'aller chercher du pain qu'il n'a pas salué la boulangère.

4

L a plaisanterie de circonstance au travail, c'est de dire qu'on t'apporte la vie sur un plateau. On fait allusion au plateau technique du centre d'appels. Il a participé il y a quelques années au montage d'une telle structure. Tout un étage réservé à ce qui semblait être à l'époque une promesse de progrès, un moyen de conserver de l'activité dans tel bâtiment, telle ville, telle région à l'heure où le journal télévisé enchaîne les mauvaises nouvelles, les mots « délocalisation », « arrêt de l'activité », « chômage », sur fond d'images présentant des visages graves aux portes des usines, des feux de palettes et des banderoles qui crient au désespoir. Ici, ça bougeait dans tous les sens, des peintres croisaient des électriciens, des déménageurs apportaient des bureaux aussitôt occupés par les informaticiens qui y déposaient des écrans. On l'avait sollicité pour renforcer l'équipe de câblage, tout un fatras de fils téléphoniques pendaient des faux plafonds entremêlés avec des lignes coaxiales. Un type avait dit : Dans quinze jours faut que ça marche, on ne peut plus prendre de retard. Il y avait des cartons d'ordinateurs dans tous les coins, ça sentait la peinture et la colle à moquette, on entendait des coups de masse : au fond de l'étage, on démolissait de nouvelles cloisons pour agrandir ce qui se révélait déjà trop juste et même pas mis en service. Il avait raccordé toutes sortes de câbles, depuis la banale paire de cuivre à la délicate fibre optique. Il avait installé toutes sortes de prises, du simple conjoncteur aux réseaux RJ 45. Les tableaux électriques étaient complexes, les goulottes, les plinthes et les colonnes de distribution étaient surchargées de gaines multicolores. On dépliait des plans sur du mobilier encore enveloppé, c'était exaltant.

Jamais il n'aurait imaginé travailler dans un lieu pareil, le plateau comme on avait pris l'habitude de dire. Image chatoyante pourtant, pas un plateau d'argent, mais luxueux tout de même : il fallait reconnaître qu'on y avait mis de l'intérêt, une certaine considération pour ceux qui l'utiliseraient. Couleurs lumineuses mais pas trop agressives, chaises à roulettes confortables et silencieuses, disposition harmonieuse du mobilier, climatisation l'été et chauffage l'hiver, réglable au demi-degré. Les premiers temps, il ne pouvait s'empêcher de regarder la façon dont tout l'équipement technique était raccordé, la manière dont on avait caché les fils dans le piètement des bureaux. Et de remarquer tout : ici, une prise de travers, là, une coulure maladroite provoquée par un pistolet à colle. Un regard de spécialiste. Mais on s'habitue à tout et ce luxe et ces défauts sont devenus son univers. À moins que la présence de son ancien boulot ne s'estompe déjà en même temps que ses mains ramollissent. Il lui faut maintenant se forcer pour s'étonner du revêtement bordeaux du paravent qui borde son espace de travail, alors qu'au début il trouvait cette couleur un peu trop sombre, mal adaptée.

La salle qu'il occupe est grande, organisée autour de cinq îlots, cinq marguerites ainsi qu'ils disent poétiquement entre eux, alors qu'elles dessinent, vues de dessus, un trèfle à quatre feuilles. On l'a installé sur celle qui se trouve à l'une des extrémités de la pièce. Il a pour voisins Maryse, Robert et Roland. C'est le chef qui a eu l'idée de le laisser à côté des premiers dont il avait fait la connaissance. Un nommé George (Clooney ? Harrison ? son vrai prénom ?) a dû rejoindre une des marguerites du milieu. Le nouveau s'est senti gêné mais l'autre a haussé les épaules : Pas fâché de me séparer de ces cons ! a-t-il dit sans qu'on sache si c'était une plaisanterie de circonstance ou si c'était vraiment pensé.

Mais la vie sur un plateau, oui, c'est vraiment ça au sens littéral : une facilité. Tout est prévu à l'avance, réfléchi, raisonné, jugé, examiné, conçu, médité, considéré, envisagé, gambergé, ruminé. Plutôt deux fois qu'une et par une multitude d'intervenants. La position ergonomique, le grand écran plat, le casque individuel, le paravent bordeaux où l'on affiche les renseignements les plus demandés, tarifs usuels des services, numéros indispensables à connaître, il reste même de la place pour un univers personnel. À son emplacement, un autocollant circulaire d'un camping trois étoiles de Pornic est resté accroché au-dessus du téléphone après le départ de George. Maryse a affiché une photographie de ses trois enfants avec un sapin de Noël derrière eux et un dessin de la petite dernière. Le grand type a accroché une caricature humoristique de Robert Redford qu'un collègue lui a faite. Roland le chauve n'a rien mis mais le couteau à manche de bois avec lequel il mange une pomme à chaque pause demeure en permanence sur la table, la pointe fichée dans un bouchon de liège.

Mais ce qui est invisible est tout autant cogité. Invisible ou fuyant, soluble comme les lueurs de l'écran plat, les pages des scripts d'appel qu'un clic de souris ou qu'un retour-chariot efface. Vous êtes bien monsieur/madame/mademoiselle X ? Vous habitez bien à numéro/nom de rue/ville ? À côté de lui, Maryse fronce les sourcils, elle approche son visage de l'écran et sa mèche raide, d'une teinte plus blonde que le reste des cheveux, s'aimante au moniteur par électricité statique. Son visage est baigné d'une lueur douceâtre, orangée. Au-delà du paravent, Robert est aussi en conversation avec un client. Il a redressé sa haute stature, cambre le dos avec une grimace tout en continuant de parler dans son microphone et de fixer les lignes du script qu'on voit refletées dans ses yeux clairs. Roland le chauve est le plus discret. Le globe de son front apparaît par intermittence au-dessus de la fine cloison, comme le lever ou le coucher d'un astre. Il faut prêter l'oreille pour s'apercevoir qu'il parle aussi avec un client, le visage baigné du même halo changeant. Ainsi, tout a été pensé dans cet agencement confortable, jusqu'à la facilité avec laquelle les mains ramollissent, la droite épousant comme une méduse l'animal nommé souris, la gauche posée à côté du clavier, un ou deux doigts semblant taper au hasard une ou deux touches comme si l'ensemble des gestes était indépendant du regard fixé sur l'écran alors qu'il est en réalité conduit, décidé par sa lumière.

L'invisible, ce sont aussi les voix, les bribes des conversations, les phrases répétitives des scripts chopés au hasard : Vous souhaitez modifier votre abonnement, c'est bien cela ? Avez-vous d'autres questions ? Je vous souhaite une excellente fin de journée. Phrases pensées par d'autres, récitées par les collègues machinalement, la bouche comme un outil en suspension devant le micro, le souffle tranquille des mots appris, évidents, logiques, susurrés pour ne jamais déplaire. Et que dit-elle, cette voix du client dans l'oreille, un peu nasillarde ? Est-ce qu'on l'écoute seulement ? On enchaîne rapidement par la question déjà cent fois répétée depuis le début de la journée : Vous êtes bien monsieur/madame/mademoiselle X ? Et qu'importent le nom et le prénom du client puisque dans cinq minutes quelqu'un d'autre l'aura déjà remplacé. Le lien entre l'oreille et la bouche ne se fait pas : on parle et on écoute de façon indépendante. Avec l'habitude, la pensée revient, dissociée également, capable d'imaginer, de rêver, d'établir la liste des courses du soir, de penser à descendre la poubelle, de ne pas oublier le rendez-vous du dentiste pour la petite. Un des téléopérateurs de la salle arrive même à résoudre en même temps des sudokus. À toutes ces fonctions donc, parler, écouter et penser, s'ajoute celle de voir tout ce qui vous entoure : l'autocollant de Pornic, le téléphone, l'évasion permanente des caractères sur l'éclairage des écrans, tout cela omnipotent, autonome, libre, faussement décontracté, un travail affranchi des limites du corps.

5

L'invisible client, donc, ombre chimérique de sa parole. Imaginer son apparence. Cette tonalité rauque, chant de basse d'un fumeur certainement, et enrhumé en plus – on entend ses reniflements au bout du fil. Fantasmée aussi cette voix de femme, si claire, presque aiguë, qui se cache derrière ? Quelle vie ? Quelles préoccupations ? Enfants à aller chercher à l'école, un mari, un amant peut-être à retrouver en catimini dans la course échevelée d'un après-midi, le timbre des mots d'amour pareillement limpide, sa peau blonde zébrée par les persiennes d'une chambre d'hôtel… Mais la voix s'énerve dans la même transparence, un cristal qui raconte ses déboires avec ses contrats : écran numéro huit du script, intitulé « un client vous interpelle ».

Ainsi, comme il est étrange de sentir cette foule en arrière, cachée dans les entrailles virtuelles de tout un système d'ordinateurs, savoir qu'elle émerge de temps en temps, prend la forme de mots, questions, préoccupations, tout ce liquide qui s'écoule par l'écouteur, à rattraper, à faire rentrer dans le récipient du script. Tant va la cruche à l'eau qu'à la fin elle se casse. Qu'importe le contenu pourvu qu'on ait l'ivresse. Il pense à la vieille publicité d'autrefois pour la Poste («Derrière ce timbre se cachent 300 000 postiers») et la blague qui allait avec («Mais comment ont-ils fait pour la photo ?»), prémices d'un monde effacé, devenu imperceptible, réduisant la sensation de lui-même à une seule dimension, caché derrière un timbre ou une oreillette. Pour ici, c'est uniquement l'audible, l'amputation du reste, la douleur du membre fantôme, la question récurrente : combien de temps ça va prendre pour que la main prenne la consistance de la bouche ?

Ou alors, dans la décomposition des gestes, savoir que le client, acheteur, chaland, consommateur, abonné, usager, adepte, prospect, pratiquant fidèle, croyant infidèle, ouaille d'un système libéral, slogan d'école commerciale, client qu'on met au centre de nos décisions, client comme raison d'être, savoir donc que le client à forme indistincte s'ajoute dans la file d'attente de l'afficheur, une unité de plus, une parcelle de lumière LED, pas encore un nom, pas encore une existence, déjà empêtré au milieu des messages d'accueil, les « taper 1, 2 ou 3 », la litanie des choix (se souvenir que pour obtenir l'opérateur c'est toujours le choix 9), la musique de patience, le vrai bonjour en faux direct d'Éric, enregistré une fois pour toutes, en une seule prise, bien du premier coup comme le permis de conduire. Conversation enfin, entrée en matière, la langue dépliée, la main ramollie en mollusque sur la souris, la voix claire, presque aiguë, un cristal, nos fantasmes, une lumière rouge sur l'afficheur.

6

Une des phrases préférées de Maryse c'est :
Il faut se mettre à la place du client. Elle le
dit généralement quand le chef est là. Lui, il a
ce geste d'impuissance, certains diraient un
haussement d'épaules, mais la mimique est singulière, c'est un affaissement soudain, et pas seulement des épaules, un épuisement brusque, une
consomption généralisée. On dirait que le tronc
lui-même est précipité vers le vide, les omoplates
semblent se décrocher, illustrer l'expression « les
bras m'en tombent », et ne reste que la tête
comme le point d'un point d'exclamation qui se
retrouverait cul par-dessus tête. Pourtant, si
Maryse prononce le mot « client », qui, comme
chacun sait, est au centre de tout, on s'atten-
drait à un garde-à-vous, une reprise en main
autoritaire, mais il n'en est rien, le chef a ce
geste d'épuisement, d'asthénie, fatigue, mollesse.

Rien d'une paresse, cependant, et combien de plus-gradés lui ont reproché cette apathie ! Mais il y a eu ce jour où l'un de ces cadres, donneurs de leçons, était venu. Et comment on l'a entendu crier, le chef, une colère entendue dans tout l'étage avec claquement de porte, il avait fallu le retenir d'accrocher le plus-gradé à un portemanteau.

Se mettre à la place du client, ce serait l'imaginer pris dans les filets inextricables des processus. La rhétorique nous apprend la différence entre procédure et processus, le premier étant synonyme de rigidité et le second de souplesse. Et c'est justement l'image du filet qui s'impose, élasticité des mailles, malléabilité de la structure qui s'adapte *a contrario* du règlement, de la raideur, de l'engourdissement et de l'ankylose. Gloire à notre processus, donc, dernier empereur romain, débonnaire, ventripotent. Gloire à l'empire de notre société éclairée. Ainsi le client, poisson pêché par l'entreprise, est-il chouchouté, lustré, caressé dans le sens des écailles. On lui fait miroiter la surface limpide de la mer calme, les horizons toujours bleus, les espaces illimités d'une croissance inouïe, la liberté du libéralisme. Mais il demeure au sein du filet, et même si les mailles sont cerclées d'or, un jour il doit appeler un des numéros fournis avec son contrat (où ai-je bien pu le ranger ?), consulter un site Internet, un prospectus, une publicité, empoigner son combiné ou son mobile, téléphoner enfin en ignorant qui de Maryse, Robert, Roland, Éric (ou Elizabeth, Juliette, Isabelle, Simone, Claudia, Adriana, Vanessa, Paul, George, John, Ringo) va lui répondre.

Se mettre à la place du client, c'est le voir, ainsi installé à la terrasse d'un café, chant de basse rauque, fumée d'une cigarette entourant le portable, cliquetis de la cuillère contre la tasse à café, le garçon, une main dans le gilet fait le beau avec son plateau auprès de deux jolies étudiantes tandis que défilent les messages d'accueil, « taper 1, 2 ou 3 » (pour obtenir l'opérateur c'est le choix 9), musique de patience, X (nom de l'entreprise), bonjour, Robert, que puis-je pour votre service ? Et d'enchaîner un bonjour machinal en réponse, suivi d'une toux. Robert, qui donne au même moment congé à une voix claire et pure, un cristal (une étudiante ?), casque sur la tête, se redresse sur son siège, fait le beau sur le plateau. Robert qui passe au client suivant, entend juste une toux sèche avant de déclamer : Vous êtes bien monsieur/madame/mademoiselle X ? Vous habitez bien numéro/nom de rue/ville ? Euh, oui, dit la voix rauque, enfin, en ce moment, je suis dans un café…

Se mettre à la place du client, c'est imaginer qu'il n'est pas le seul et unique client, non pas dans le sens égocentrique de l'entreprise, mais que lui-même est un client varié, multiplié depuis son enfance quand sa maman l'envoyait chercher le pain (Et tu diras bien bonjour en arrivant ?), et maintenant, à l'âge où il va dans des cafés, fume et tousse de sa voix rauque, être le client du docteur, du barman, du buraliste, toute une collection de professionnels auxquels on tend un billet, un chèque, une carte bancaire, pour recevoir en échange immédiat du pain, des cigarettes, un café, des meubles, une voiture, un appartement. Tout ce qui s'était rajouté aussi, téléphone, assurances, contrats de services en tous genres, et c'était bien là le plus difficile depuis quelques années de se faire entendre avec cette mode des centres d'appels, leurs multiples manœuvres « taper 1, 2 ou 3 », l'accent des opérateurs délocalisés, et espérer n'avoir jamais à rappeler ou devoir expliquer une situation complexe. C'est dans cet état d'esprit que le client, ainsi installé au café, voix de basse, fumée de cigarette, portable, tasse de café apportée par celui qui fait le beau maintenant devant deux étudiantes, téléphone à Robert, en espérant que celui-ci saura modifier (souscrire, résilier) son contrat sans que l'habituelle déveine qui le poursuit provoque un incident informatique, comptable, administratif, imprévu qui obligerait à rappeler, tomber sur quelqu'un d'autre que Robert, tenter d'expliquer ce que l'on désire, chercher à savoir pourquoi ça n'a pas fonctionné, un piège, oui, le filet inextricable est l'expression adaptée, un malaise tel qu'on pourrait se croire un instant la victime du rétiaire, ligoté dans les mailles, le gladiateur pointant un trident sous l'œil de Processus, empereur romain ventripotent, qui s'apprête à pointer son pouce vers le bas... On se réveille en sueur, mieux vaut ne pas être à la place du client.

7

— X (nom de l'entreprise), bonjour, Éric, que puis-je pour votre service ? (*préenregistré*)

— Bonjour, je suis client chez vous et j'aimerais changer mon contrat.

— Nous allons regarder ça ensemble, vous êtes bien monsieur/madame/mademoiselle X ? Vous habitez bien numéro/nom de rue/ville ? (*page d'accueil en couplage téléphonie informatique*)

— Oui, c'est cela.

— Donc, si j'ai bien compris, vous souhaitez modifier votre contrat.

— Oui, c'est cela.

— Vous bénéficiez en ce moment de notre offre Optimum plus, est-ce exact ? (*page « services du client », onglet « reformulation »*)

— Oui, c'est cela.

– Et que désirez-vous modifier monsieur/madame/mademoiselle X ? (*page « services du client », question ouverte*)
– Je trouve ma facture disproportionnée par rapport à ce que j'utilise.
– Notre offre Optimum vous donne droit à... (*énumération des privilèges clients, page « services du client », onglet « argumentaire »*)
Êtes-vous au courant de tous ces avantages ?
– Oui, mais je ne les utilise pas tous et je voudrais réduire mon offre chez vous.
– C'est tout à fait possible, monsieur/madame/mademoiselle X. Je regarde les conditions de votre contrat. (*page « services du client », procédure de temporisation*)
– ...
– Oui, je vous le confirme, monsieur/madame/mademoiselle X, c'est tout à fait possible. Je peux vous proposer la formule Optimum simple. Elle vous donne droit à... (*énumération des privilèges clients, page « services du client », onglet « argumentaire »*)
– Et ça reviendrait à combien ?
– À x euros par mois pour une durée contractuelle de vingt-quatre mois au minimum. L'abonnement bénéficie de la gratuité des frais de mise en service puisque vous êtes déjà client, les frais de mutation de x euros restent cependant à votre charge. (*page « services du client », onglet « remplacer un service par un*

autre », sous-onglet « calcul de l'abonnement et frais divers »)

— C'est déjà mieux. Mais vous n'avez rien de moins cher ? Je pourrais continuer à bénéficier de la garantie de remplacement ? Et au bout de vingt-quatre mois, que se passe-t-il ?

— Ne quittez pas, je me renseigne. *(page « un client vous pose plusieurs questions à la fois », onglet « quelques conseils »)*

— ...

— La formule Optimum simple constitue l'offre de base de nos contrats. Elle vous donne droit à... *(énumération des privilèges clients)* Cela agrémenté des services entièrement gratuits de notre hotline dédiée et accessible du lundi au samedi de 8 heures à 20 heures. *(page « services du client », onglet « argumentaire », sous-onglet « positionnement par rapport à la concurrence »)* Au bout de vingt-quatre mois, vous êtes libre de résilier sans frais votre contrat ou de le renouveler par tacite reconduction. La garantie de remplacement est incluse dans le contrat (pour ce dernier point, non précisé, Éric applique le conseil n° 3 : si un client vous soumet une question à laquelle vous ne savez pas répondre immédiatement, donnez-lui raison).

— Bon, eh bien...

— Donc, monsieur/madame/mademoiselle X, vous désirez opter pour la formule Optimum

simple, est-ce exact ? (*page « solution du client »,
onglet « reformulation »*)
– Oui, c'est cela.
– J'effectue le nécessaire immédiatement.
(*page « services du client », onglet « remplacer un
service par un autre », sous-onglet « valider la
proposition »*) Donc, je résume. Vous avez opté
pour la solution Optimum simple au prix de
x euros par mois qui vous donne droit à… (*énumération des privilèges clients*) Ai-je bien répondu
à votre demande ? (*page « services du client »,
onglet « validation finale »*)
– Oui.
– Désirez-vous autre chose ? (*page « savoir
prendre congé », onglet « autre demandes »*)
– Non.
– X (nom de l'entreprise) vous remercie de
votre appel. Nous vous souhaitons, monsieur/
madame/mademoiselle X, une excellente fin de
journée (*page « savoir prendre congé », onglet
« autre demandes », onglet « formules de politesse »*)
– X (nom de l'entreprise), bonjour, Éric,
que puis-je pour votre service ? (*préenregistré*)
– Bonjour, je voudrais un renseignement.
– Nous allons regarder ça ensemble, vous êtes
bien monsieur/madame/mademoiselle X ? Vous
habitez bien numéro/nom de rue/ville ? (*page
d'accueil en couplage téléphonie informatique*)

8

— Nous nous sommes rendu compte que l'offre Optimum simple était mal comprise par nos clients. Son nom ne met pas assez en valeur la gamme pourtant étendue des services qu'elle recouvre.

Elle parle vite, la chargée de marketing, doigt pointé sur l'écran. Il est écrit : « OBJECTIFS : se repositionner ; gagner des parts de marché ; pour une meilleure compréhension client. »

— À compter de lundi, l'offre est remplacée par l'Optimum confort. L'offre Optimum plus demeure inchangée pour l'instant, mais on peut penser que d'ici quelques semaines elle suivra la même évolution.

Maryse a sorti une feuille et prend des notes, Robert se balance sur sa chaise, Roland réprime un bâillement, le chef triture un stylo. C'est la troisième réunion d'équipe à laquelle participe le nouveau. La salle est trop petite, il y a deux rangs de chaises disposés autour de la table centrale. On leur a promis une pièce plus grande mais il faut attendre que les travaux d'extension du plateau 1, eux-mêmes soumis au déménagement du plateau 3, soient réalisés. La réunion d'équipe suit toujours le même rituel. Le chef présente le compte d'appels de la semaine précédente. On est toujours en retard par rapport aux objectifs. On fait part des appels difficiles qu'on a eus. Maryse est championne dans ce sport et a toujours quelque situation délicate à raconter qu'elle conclut par sa phrase de prédilection : Il faut se mettre à la place du client.

Une nouvelle diapositive s'inscrit sur l'écran : « Optimum confort : possibilité d'engagement sur 36 mois ; abandon de la garantie de remplacement ». La chargée de marketing continue avec le même flot de paroles : il est entendu que l'augmentation de trois euros par mois est contrebalancée par l'option d'engagement sur trois ans. D'ailleurs, dans ce cas, l'abonnement est moins cher d'un euro par rapport à la précédente offre Optimum simple, c'est donc un avantage concurrentiel... Oui ? Le nouveau lève la main, comme à l'école : Qu'est-ce qu'on entend par abandon de la garantie de remplacement ? Maryse a levé le stylo de sa feuille et le regarde à travers sa mèche raide, d'une teinte plus blonde que le reste des cheveux. Robert reste calé au fond de son siège basculé en équilibre contre le mur. Roland ferme les yeux et le chef opine : c'est la première fois que le nouveau intervient en réunion d'équipe, c'est bon signe, il s'intègre facilement, il s'habitue vite. La chargée de marketing explique : En fait les statistiques ont prouvé que peu de nos clients ont recours à cette garantie, on a donc préféré diminuer le prix de l'abonnement plutôt que de conserver des options inutiles. Oui, sauf qu'il va falloir l'expliquer au client, bougonne Maryse. Vous recevrez bientôt un argumentaire, rétorque la chargée de marketing. En attendant, on pourra toujours afficher les caractéristiques de l'offre, précise le chef. Il n'y aura bientôt plus de place sur nos paravents, ajoute une voix au fond de la salle.

Voici l'ennui. Le chef se trompe : le nouveau s'habitue, en effet, mais au point de ressentir rapidement cette langueur, vacuité, grisaille. C'est Robert, sur sa chaise en équilibre instable, étrangement silencieux, alors qu'il disait à son arrivée : Je parle tout le temps, c'est ma méthode. C'est Roland, sa tête chauve relâchée, semblant s'enfoncer entre ses deux épaules. C'est Maryse et sa lassitude à force de répéter toujours qu'on ne se met pas assez à la place du client. Chacun se reconnaît dans son voisin, uniformité du travail, litanie des problèmes récurrents, platitude d'un métier, manque de relief, à commencer par les mots des services, les mots à servir : Optimum confort, mots passe-partout. Ce pourrait être n'importe quoi, une assurance-vie, un extension de garantie automobile, le choix d'une convention-obsèques, une recette miracle, une poudre de perlimpinpin, un élixir, une jouvence, de la peinture sur une porte écaillée, un cautère sur une jambe de bois, c'est une raison d'être, d'exister dans un monde fini, achevé, sans surprise, digéré jusqu'à la nausée.

Il y a un silence, il sent qu'on le regarde, Maryse, le chef, tous deux un peu étonnés. La chargée de marketing répète sa question : Ai-je bien répondu à votre interrogation ? Il esquisse un oui en hochant la tête. Il n'a rien écouté. Puis elle se tourne vers le chef qui sort alors de son mutisme : Eh bien, je crois que nous pouvons remercier Vanessa de son intervention sur les changements concernant l'offre Optimum. Vanessa sourit, n'oublie pas d'ajouter que si on a le moindre souci il ne faut pas hésiter à l'appeler. 36 15 Vanessa, filles torrides, *hotline*, l'esprit du nouveau déraille encore un instant mais tout le monde se lève dans des raclements de chaises. Robert lance à la cantonade : Allez, les gars, faut qu'on place de l'Optimum confort ! Maryse lève les yeux au ciel et Roland mâchonne une pomme imaginaire.

9

L'étonnement face aux premiers appels (le cas-que qui gêne, les conversations des autres en parasites, faire répéter la demande) est un cap difficile à passer. Ça dure plusieurs semaines. Il raccroche, fatigué, usé par sa propre voix et par l'effort consacré à écouter un interlocuteur invisible. Il a peur de faire une erreur, de rentrer un mauvais code informatique, de mal servir un écran du logiciel d'appel. L'idée du carnet vient de Maryse qui note systématiquement tous les noms des clients avec le code de la transaction qui en résulte. Robert se moque souvent d'elle : Rien dans les mains dit-il en retournant les poches de ses jeans fatigués.

Le premier samedi, le nouveau achète un carnet au supermarché. Il met un temps infini au rayon papeterie pour le choisir. Il n'aurait pas imaginé une telle variété : simple cartonnage ou moleskine, broché ou avec une reliure à spirale, avec ou sans crayon intégré. Il opte pour un bloc-notes moins onéreux, choisit un 96 pages, puis se ravise pour un 180 pages à couverture verte. Tu as besoin d'un aussi gros calepin ? dit-elle. Il répond que c'est pour le nouveau boulot. Il s'éloigne mais se ravise et décroche un stylo quatre couleurs en plastique bicolore sous blister. Elle lève les yeux au ciel.

Il note les appels qu'il reçoit et le cahier est déjà entamé sur une dizaine de pages. Il travaille maintenant tout seul et ne sollicite ses collègues que pour quelques rares cas difficiles. Un jour, il s'aperçoit qu'il a oublié de donner un renseignement à un client et il profite d'une pause café pour le rappeler. Au bout du fil, la voix est étonnée, circonspecte : on est tellement habitué à ces voix anonymes des centres d'appels. Mais à la fin de la conversation, le client se confond en remerciements. Il dit des mots qui font plaisir : amabilité, sérieux, conscience professionnelle. Le nouveau raccroche en souriant et se trouve un peu bête en face de Roland le chauve : Fais attention, ne joue pas à ce petit jeu-là trop souvent, tu risquerais d'avoir des ennuis à la longue, dit-il, une pomme dans une main et le couteau encore encapuchonné du bouchon de liège dans l'autre.

C'est une déclaration énigmatique.

10

Elle lui dit : Et ton nouveau boulot, ça se passe bien ? Il fait oui de la tête tout en continuant à boire son café à petites gorgées. Derrière elle, sur le buffet (le seul meuble qu'elle ait pu emporter ici), la photo du père affiche un sourire timide entre les quatre coins du cadre. Qu'est-ce qu'on rapporte pour ta mère ? Il avait choisi un modèle à baguette en cérusé bleu, effet vieilli, décor marine, dans une boutique de Saint-Malo. La figure du père est maintenant enfermée dedans. Le cliché avait été pris trois ans avant sa maladie pour renouveler un passeport mais l'administration avait jugé qu'il était trop souriant. Alors il leur avait dit : Je ne savais pas qu'il fallait faire la gueule pour passer les frontières ! Quand la mère raconte cette histoire que toute la famille a déjà entendue une dizaine de fois, il fait semblant de la découvrir. C'est pour elle manière de dire que son mari était quelqu'un, un faux calme qui ne se laissait pas marcher sur les pieds. Elle dit aussi qu'il lui ressemble de plus en plus en vieillissant, même air un peu réservé, la parole rare mais écoutée. Après l'histoire, il y a toujours un moment de silence. Et la route, ce n'est pas trop dur ? Il dit que non, trente kilomètres de distance, ce n'est pas beaucoup, ça bouchonne un peu au sortir de la ville mais il y a un parking. Alors, si je veux t'appeler je fais le numéro vert ? Il répond qu'elle a très peu de chance de tomber sur lui, ils sont plus de deux cents sur toute la France. Tu peux tomber à Marseille, à Bordeaux, à Lille, à Strasbourg ou à Nantes, et si tu dis mon nom, personne ne me connaît. En plus, j'ai un prénom réservé pour les clients, c'est Éric. Cette nouvelle la contrarie. Tu n'as pas pu garder ton prénom, vraiment ? Ton père n'aurait pas aimé. Elle ramène tout à lui. Son univers s'est peu à peu rétréci et il représente la figure centrale, une des rares traces de sa vie d'avant. À cause de ses vertiges incessants, il a fallu lui trouver une place. Ils avaient eu de la chance, un petit studio s'était libéré dans une résidence adaptée. Il y avait une infirmière à demeure. Elle pouvait manger quand elle le désirait avec les autres pensionnaires. Elle avait eu le droit d'emporter le buffet et quelques chaises. On avait racheté une petite table et un frigo. Tu ne regrettes pas ton ancien travail, alors ? Il lui faut faire un effort pour revoir quelques souvenirs, les figures de ses collègues, l'atelier où l'on préparait le matériel, l'arrivée sur les chantiers, les réunions avec les autres intervenants, le travail dans la poussière ou le froid, dans des locaux exigus. C'est drôle, la facilité avec laquelle on se détache de ce qui s'est passé. Il y a quelques jours, en descendant au garage chercher une ampoule pour remplacer celle qui avait grillé dans la cuisine, il a vu sa trousse à outils sur l'établi, posée dans l'état où il l'avait rapportée après son dernier jour de travail. Il avait tiré sur le nœud qui la maintenait attachée, il avait déroulé la petite pochette en cuir comme il l'avait fait des milliers de fois. Soigneusement rangés à chaque emplacement, il y avait ses pinces à sertir, à wrapper, quelques tournevis, une paire de ciseaux, un testeur de continuité et un multimètre numérique. Il avait regardé longtemps ces quelques outils, comme s'il les découvrait pour la première fois, comme si aucun d'eux n'avait porté l'empreinte de ses doigts. À côté, sous la lumière crue de la lampe, sa main paraissait blanchâtre, inutile, gélatineuse. Elle dit encore : Le fils de la marchande de journaux, tu sais, celui qui travaille à l'usine, il dit que ça va pas fort non plus, ils en sont à leur troisième mois de chômage partiel. Il y a eu encore un défilé dans la ville. Tout cela lui paraît déjà étranger, trente kilomètres plus loin et les nouvelles n'arrivent qu'après coup. On rencontre un ancien collègue au supermarché, un voisin dans la rue, sa propre mère, mais comment leur dire que les bruits du monde ne vous parviennent plus ? Et l'étonnement devant sa propre indifférence. Les pancartes, les défilés, ça oui, il avait participé quand ça allait mal. Il y avait eu quelques jours de grève, on avait obtenu une petite prime pour les trente kilomètres de délocalisation. On ne se plaignait pas, il y avait bien plus malheureux. Il dit : Non, ça va bien, le nouveau boulot. C'est un métier où il faut beaucoup parler. Elle le regarde, un peu étonnée. Tu as écouté ? Je te disais que le fils de la marchande de journaux te donne le bonjour.

11

— X (*nom de l'entreprise*), bonjour, Éric, que puis-je pour votre service ? (*préenregistré*)

— Bonjour, j'ai un renseignement à vous demander...

— Nous allons regarder ça ensemble. Pouvez-vous me donner vos nom, prénom et adresse, s'il vous plaît ? (*page d'accueil en couplage téléphonie informatique, procédure de secours* — l'affichage des coordonnées de l'appelant est inopérant)

— Je voudrais savoir si tu préfères sucer ou te faire mettre.

12

Il repense souvent à ce qu'avait dit Robert à son arrivée : Ce métier est le combat de la bouche contre la main, il faut se méfier du silence, ne jamais laisser ses mâchoires au repos. Mais c'est plus facile à dire qu'à faire. Lui, c'est un taiseux. Quand il s'agit de lire sur un écran des questions à poser, des arguments à donner, ça va encore, mais il sent qu'il ne pourrait aller plus loin. Chaque fin de conversation est un répit de quelques secondes mais il faut déjà enchaîner avec le client suivant. À la fin de la journée, c'est un soulagement de monter dans la voiture, de ne pas allumer l'autoradio et de se réfugier dans le silence des trente kilomètres pour revenir chez lui. Au bout de quelques semaines, il comprend ce que voulait dire Robert, faire en sorte que la parole soit naturelle, intégrée dans la vie, un bavardage, mais il n'arrive pas à s'adapter à ce bruit permanent. Au début, il était enthousiasmé par l'attrait de ce nouveau travail, cette manière de renouer avec une activité alors que les mois précédents avaient été marqués par le désœuvrement, suite à la perte de son ancien boulot. Le soir, au dîner, il était intarissable : ses nouveaux collègues étaient vraiment sympas, le chef semblait franc et humain. Il racontait mille anecdotes sur des clients difficiles, la vie au bureau, le menu de la cantine le midi. Elle l'écoutait avec bonheur, heureuse qu'il ait pu retrouver quelque chose qui lui plaise. Les moments difficiles semblaient derrière eux. Ça n'avait pas été facile, ces derniers temps, tout s'en était mêlé, leur dernier enfant avait quitté la maison pour gagner sa vie, c'était une satisfaction, mais ils s'étaient retrouvés tout seuls, et ce qui aurait dû être une manière de revivre comme des jeunes mariés avait été gâché par les soucis. Et depuis quelque temps, l'attrait du nouveau boulot s'est émoussé, une sorte de nouvelle fatigue s'installe, l'insomnie avec le brouhaha des conversations dans la tête la nuit, le besoin de silence en rentrant. Il a cru un peu trop vite qu'il avait gagné le combat de la bouche contre la main. Il devine qu'elle recommence à avoir peur aussi qu'il retourne à ses penchants taciturnes. Mais comment lui expliquer sa peur idiote de voir chacune de ses mains se changer en chou-fleur inutile ?

Il est dans la voiture et elles s'accrochent au volant, plus blanches que jamais. Le soleil joue avec les arbres et une ombre saccadée pénètre dans l'habitacle. Il connaît maintenant chaque virage, chaque entrée de hameau. C'est une route modeste mais encombrée dans les deux sens par ceux qui vont travailler dans l'une ou l'autre des deux villes qu'elle relie. Est-ce qu'on ne pourrait pas s'arranger un jour ? Tout stopper ? Que chacun sorte de sa voiture et aille trouver celui qui circule dans l'autre sens. Échanger les métiers. Tout s'apprend. Il peut montrer comment se servir de ses mains tant qu'il se souvient encore. Quelqu'un d'en face pourrait lui apprendre à parler sans peur. Mais on circule sans se voir comme on se parle sans se voir, dans une parfaite indifférence au mieux, au pire dans le mépris. Reviennent en mémoire les stupides agressions de la journée, les insultes, les grossièretés. On raccroche vite. La consigne est de ne jamais répondre, mais ce qu'on a reçu vous salit parfois jusqu'à la nausée.

13

– Boulangerie Au Bon Pain, bonjour, que puis-je pour votre service ?

– Bonjour, je suis client chez vous et j'aimerais une baguette et deux croissants.

– Nous allons regarder ça ensemble. Vous êtes bien monsieur/madame/mademoiselle X ? Vous habitez bien dans le quartier ?

– Oui, juste en haut de la rue.

– Donc, si j'ai bien compris, vous souhaitez acquérir une baguette et deux croissants.

– Oui, c'est cela.

– Désirez-vous profitez de notre pain à farine traditionnelle Optimum plus ?

– Oui, avec deux croissants, s'il vous plaît.

– Êtes-vous au courant de tous les avantages de notre farine Optimum plus ?

– Non, mais je viens surtout pour les croissants.

– C'est tout à fait possible, monsieur/
madame/mademoiselle. Je regarde les conditions de vente et je calcule votre prix.

– …

– Je peux vous proposer un prix total de
deux euros quatre-vingt-neuf centimes. Êtes-
vous d'accord avec notre offre ?

– Et avec une baguette à farine Optimum
confort, ça reviendrait à combien ?

– Je calcule cette nouvelle option.

– …

– Je peux vous proposer un prix total de
deux euros quatre-vingt-trois centimes. Toutefois, la baguette à farine Optimum confort ne
bénéficie pas de la garantie de remplacement
car les statistiques ont prouvé que peu de nos
clients y ont recours, on a donc préféré diminuer le prix de la baguette plutôt que de conserver des options inutiles.

– Mettez-moi une baguette Optimum confort
et deux croissants. La garantie de remplacement ne m'intéresse pas, en effet.

– Donc, monsieur/madame/mademoiselle X,
vous désirez opter pour la formule Optimum
confort avec deux croissants pour le prix de deux
euros quatre-vingt-trois centimes, est-ce exact ?

– Oui, c'est bien cela.

– J'effectue le nécessaire immédiatement. Ai-
je bien répondu à votre demande ? Désirez-
vous autre chose ?

— Non, ce sera tout.

— La boulangerie Au Bon Pain vous remercie. Nous vous souhaitons, monsieur/madame/mademoiselle, une excellente fin de journée.

— Bonjour, monsieur. Monsieur ?

— Excusez-moi, je rêvais... Je voudrais une baguette et deux croissants.

Ce dimanche matin, il remarque en sortant qu'il a encore oublié de saluer la boulangère.

14

Elle tient sa main et la porte devant ses yeux. Tu as de belles mains maintenant ! Elle respire ses doigts. On sent le parfum des croissants. Avant, tu gardais toujours une odeur de fer ou de plastique, quelque chose d'âcre. À son tour, il les regarde. Il fait jouer ses phalanges entre les siennes à elle, une alternance de peau mate et blanche, de finesse délicate et d'épaisseur trapue. Et puis tu avais les ongles sales. Dans la pénombre de la chambre, leurs mains mêlées semblent douées d'une vie propre. Elles se caressent, se frôlent, s'étreignent comme si le simple contact des deux paumes suffisait à les rendre indépendantes de leur propre cerveau. Il entrechoque son alliance avec l'une de ses bagues à elle. La lumière qui filtre des volets accroche un reflet doré. On devine le grand jour dehors. J'aime les dimanches, ajoute-t-elle, en s'étirant au fond du lit. C'est vrai. Ils ne sont pas pressés, plus d'enfants à s'occuper. On peut se recoucher, faire l'amour après le petit déjeuner. Elle se redresse sur un coude. Tu te rappelles autrefois ? On appelait le lit notre île déserte. Tu faisais semblant de héler un bateau au fond de la chambre et je te retenais en criant : Pas encore, pas encore, laisse nous profiter du soleil, on prendra le prochain bateau ! Son rire est resté le même. C'était il y a longtemps, les enfants n'étaient pas nés. Elle avait entamé des études d'infirmière, elle savait qu'elle travaillerait dans un hôpital, mais elle ignorait que ce serait en tant que secrétaire dans un service de chirurgie. Il commençait son travail d'électricien. Il changeait souvent d'employeur, c'était facile à l'époque. Plus tard, à la naissance du deuxième, il est entré dans la grande entreprise dans laquelle il est resté. Ce devait être dans ces premières années que ses mains avaient commencé à s'épaissir. Des tendons saillaient sous le poignet, remontaient jusqu'aux doigts. Il avait souvent des griffures provoquées par les fils de cuivre, des éraflures lorsqu'un tournevis ripait, des brûlures provoquées par le pistolet à colle. Jusqu'à ces dernières semaines, il avait pensé que c'était dû à son métier : des gestes, des habitudes, un savoir-faire, les doigts qui savaient exactement quelle pression exercer sur l'outil, les yeux qui visaient, estimaient une distance par habitude, quatre mètres jusqu'à la boîte de raccordement, un cerveau qui calculait à l'usage le temps nécessaire, deux heures pour effectuer le câblage complet du tableau électrique. Et maintenant, son métier c'était devenu lire, parler, écouter, reformuler et tout noter dans les applications informatiques. Ce n'était pas plus facile, c'était devenu plus répétitif et immobile. Il avait perdu la faculté d'évaluer le temps, les distances. Les milliards de mouvements qu'il avait accomplis depuis le lycée professionnel avaient brutalement quitté sa mémoire. Son travail était devenu abstrait, réduit au simple déplacement d'une souris de plastique. Ce qui se passait dans les entrailles de la machine était inconnu, parfois incompréhensible. Il avait beau respecter scrupuleusement les consignes, par moments une transaction loupait, on ne le savait pas et le client n'obtenait pas son service. Il pensait que vous étiez un incapable, mais vous n'y étiez pour rien. Autrefois, quand il y avait une erreur de câblage, on s'en apercevait, vous aviez droit à l'erreur, mais maintenant il ne subsiste que des errements virtuels. À quoi tu penses ? À mon travail. Ça ne se passe pas bien ? Si, mais ce n'est pas très concret. Elle se lève. Un instant il remarque sa peau soyeuse qui disparaît aussitôt dans le peignoir. Elle s'ébouriffe les cheveux. Tu ne vas pas déprimer, au moins ? Tu devrais faire du sport pour te changer les idées.

15

Il reprend l'habitude de courir. Lors d'un des premiers trajets, il rencontre un ancien collègue de travail. Il effectue pour la troisième ou quatrième fois peut-être, en soufflant comme un bœuf, le maigre parcours de reprise qui longe le canal et qui ne dépasse pas l'esplanade de la gare avant de s'en retourner. Dans la précipitation de la course, les pneus du vélo se font à peine entendre sur le gravier, mais il perçoit clairement le bonjour. Le cycliste a ralenti pour rester à hauteur. C'est un technicien qui œuvre toujours dans l'ancien boulot. Je ne savais pas que tu courais. Il passe sur le quai, juste en face du nouveau cinéma, où le bras du canal s'évase et se sépare en deux pour englober comme une île le centre nautique. Tout le quartier a été rénové. C'est agréable d'y circuler, il y a de l'espace et de l'eau. Même si, à bien y réfléchir, deux mauvaises affaires avaient eu lieu juste à proximité.

Derrière lui, tout d'abord, un terrain vague a remplacé une maison détruite pour les besoins du réaménagement. Les propriétaires malchanceux avaient été auparavant des voisins. Ils étaient partis lorsqu'ils avaient trouvé cette imposante bâtisse le long du canal. On se voyait encore de temps en temps, on échangeait avec plaisir des nouvelles des enfants au hasard des rencontres dans la ville. Un an après leur installation, la mairie avait exproprié tous les habitants pour ce projet d'urbanisme. Bien sûr, ils avaient été relogés et ils avaient fini par trouver la maison de leurs rêves dans un village proche. Tout cela s'était terminé au mieux pour eux. Aujourd'hui, à la place de leur maison rasée, il reste juste la cicatrice verte d'un terrain vague, en attendant que la ville y élabore le parc paysager prévu.

L'autre affaire est un drame autrement plus triste et rapide. Il s'est passé un peu en amont du canal, avant l'écluse, là où la pente du chemin commence à remonter vers la route et le rond-point de la gare. Un gamin s'est noyé ici, un an plus tôt. Il est tombé à l'eau avec son vélo.

Je ne savais pas que tu courais. Toujours fait ça un peu, répond-il (en haletant, mais pas trop, et en forçant la foulée pour donner le change).

Le souvenir d'un parc à Évry lui traverse aussi
l'esprit, une histoire qui date de vingt-quatre
ans déjà : il allait courir avec des collègues, il y
en avait un qui accélérait au bout d'un tour ou
deux, un qui était capable de courir un marathon en trois heures. Le collègue en question
est d'ailleurs un des rares qu'il revoit régulièrement au hasard de réunions de boulot ou de
pots de départ. Il travaille dans la même ville.
Les autres ont été dispersés au quatre coins de
la France. Apostrophe de l'un d'entre eux
récemment dans le couloir d'un bâtiment dans
lequel il était intervenu pour un câblage : Tu te
souviens de moi ? Non rien, mais il ne l'avait
pas dit. Finalement, les années avaient passé :
entraînements régulièrement arrêtés, régulièrement repris aussi au gré des contretemps et de
tous les aléas de la vie, qui s'était construite, un
foyer, deux enfants, une maison à aménager,
tout ce temps qui vous mange.

Ils discutent au bord du canal, sans s'arrêter,
l'un continuant à petites foulées, phrases hachées
par le souffle encore court, l'autre pédalant
lentement jusqu'au rond-point de la gare. On
parle du travail bien sûr, on échange des
nouvelles de ceux qu'on a perdus de vue. À la
question : Et toi, ça va le boulot ? il reste laconique, comme il se doit. L'autre hoche la tête
d'un air entendu. On est un peu fataliste dans
la boîte, comme si l'on traînait derrière soi le

poids d'habitudes, la compréhension parfaite de l'entreprise et de ses travers, une sorte de pudeur bourrue à dire qu'il faut bien travailler quand même et que, quand la retraite sera arrivée, on l'aura bien méritée. Le collègue change de sujet et d'allure – on arrive au pont. Il dit encore qu'il se dépêche de rentrer chez lui pour aller courir également, avant de disparaître à grands coups de pédales. Se souvenir qu'il y avait aussi des gars qui étaient fanatiques de vélo dans l'ancien boulot. On les voyait arriver aux beaux jours avec des casquettes multicolores et des maillots couleur fluo, bardés des marques Festina ou Shimano. Combien mettra-t-il de temps à oublier tout cela ?

16

Aujourd'hui, Maryse fête son anniversaire. On a obtenu de terminer un peu plus tôt et de renvoyer les appels vers un autre plateau. Il y a deux tables au milieu de la salle, recouvertes d'une nappe de papier à motifs de sapins et de guirlandes, reste du Noël précédent. C'est un décor un peu étrange : il fait un temps magnifique, les fenêtres sont ouvertes et les oiseaux s'en donnent à cœur joie. Maryse apporte deux paniers qu'elle déballe sous les sifflements admiratifs des collègues. Sous le papier d'aluminium il y a des cakes, des gâteaux crémeux et la fameuse tarte au citron dont elle est, paraît-il, la spécialiste reconnue. Roland installe les verres et le grand Robert entreprend sans plus attendre de verser le champagne. C'est agréable, bon enfant. C'est un tableau affectueux, un monde presque tendre, pavé de bons sentiments. Une hérésie dans une modernité décomplexée qui affiche une agressivité permanente, une animosité retrouvée : on s'éloigne du rapport humain et la bête sauvagerie le remplace, mais l'avouer c'est une évidence crasse, une banalité sans intérêt aux yeux de beaucoup. Alors quoi faire ? Remplacer tous ces bons sentiments par des mauvaises pensées ? Tirer la nappe d'un coup sec et que tout s'arrête ? Donner raison à ceux qui disent : Bonjour, j'ai un renseignement à demander, je voudrais savoir si tu préfères suc... Maryse tend une coupe et l'assiette de gâteaux : Tu as l'air bien sombre, monsieur Éric... Il sourit, balaie d'un geste la fatigue de la journée. Comme par mimétisme, il y a un bref silence, et presque aussitôt un soupir collectif atteint tout le monde. Eh bien, ça, c'est éloquent, dit Robert. Oui, quelle journée ! rétorque un opérateur en retirant son microphone. Pas pire que les autres, ajoute un troisième. L'ambiance pourrait rester ainsi, il n'est pas si facile de sortir de la bulle de son casque mais l'une prend l'initiative de remettre le cadeau collectif à Maryse, un CD de Pavarotti et *Norma* de Bellini. On apprend que Maryse est une passionnée de chant. On réclame un air, on insiste. Elle prend un peu de recul et chante quelques mesures. Voix puissante qui efface tout, qui remue le poids des conversations en suspens, puis, à nouveau, les oiseaux par la fenêtre ouverte. On devrait faire une chorale, lance quelqu'un. – On voit bien que tu ne m'as jamais entendu chanter ! rétorque Robert qui ajoute : Quand je dis qu'on a besoin d'utiliser encore plus nos cordes vocales quand on fait un métier comme le nôtre, ce n'est pas faux. Maryse chante, Roland fait du bruit en mangeant ses pommes... – Et toi, tu causes tout le temps, s'esclaffe Maryse.

17

Il revoit le collègue lors d'une rencontre sportive populaire, un samedi de mai. La ville a organisé une course de 10 km, trois boucles à effectuer en plein centre-ville. Après tout, pourquoi ne pas s'inscrire ? La seule et unique fois avait été pour un cross, et c'était il y a vingt-quatre ans, au parc d'Évry, avec des collègues techniciens. Une compétition organisée il ne se souvient plus par qui mais il avait terminé en queue de peloton. Pour cette course populaire, il s'est entraîné. À l'inscription, il récupère un dossard, le 66, ainsi qu'une serviette éponge avec le logo de la ville. Arrivé près de la ligne de départ, le dossard épinglé, il fait comme tout le monde : quelques étirements pour paraître sportif et jouer au vieil habitué, quelques foulées de mise en condition. C'est là qu'il revoit le collègue en cherchant à se placer : Tu vois bien que je cours ! Assez fier de le rencontrer là, sans savoir pourquoi, peut-être parce qu'il a ainsi un témoin de sa détermination. Il n'est jamais facile de s'inscrire tout seul à une course de plus de quatre cents coureurs. Aperçu aussi un autre salarié de la boîte, un de ceux qui intervenaient sur les câbles. Un peu distant toutefois, le gars, devant son empressement à aller le saluer devant ses copains du club de sport. Il faut dire qu'un pantalon de jogging trop large ne fait guère puriste devant les athlètes licenciés : le sport, comme le travail, est pétri d'usages et d'apparences. De compétition aussi : résultat, 42ᵉ sur 54. Il note cette piètre performance dans le carnet posé à côté du téléphone, sous l'autocollant circulaire du camping trois étoiles de Pornic.

De cette course il lui reste quelques impressions. Le début assez lent avec le type âgé, dos voûté, jambes arquées, qui démarre juste devant, pas trop vite, derrière lequel il décide de rester car ça lui paraît bien confortable. À peine deux cents mètres plus loin, on passe devant la librairie nommée L'Attente L'Oubli, et comment relier cela au trajet qui l'attend devant et celui qui s'efface déjà derrière les faibles foulées ? Devant, les deux collègues, plus aguerris, l'ont distancé et cela lui fait tout drôle, persuadé qu'il est de les avoir devancés en quittant la boîte dans la menace du service à disparaître.

Leur tour viendra. Et puis la succession d'enjambées devient naturelle, sensation de regrouper bras et jambes, souffle et pensée. Il y a quelque chose aussi d'un rassemblement entre le corps et l'esprit, mais c'est confus. D'un côté, il lui semble qu'il s'expose à tous les regards, comme un individu indivisible dans ses gesticulations. En même temps, combien toute cette agitation lui semble vaine et obscure. Cette sensation floue est rapidement remplacée par celle, bien réelle, de la pluie qui se met à tomber. Clameur des voisins de course : Il ne manquait plus que ça ! Déjà on vire à droite par la rue de l'école de musique. Est-ce à cet endroit qu'il dépasse le coureur aux jambes arquées ? Pas pour aller plus vite d'ailleurs, le vieux demeurera pendant toute la course quelques mètres derrière. Et puis il aperçoit des connaissances réfugiées sous un abribus. Quelques encouragements de sa coiffeuse également, c'est étonnant, agréable aussi de se savoir reconnu, type aux jambes qui tricotent pourtant sorti de son contexte, et c'est bien le début d'une identité agglomérée, reconstituée. Allez ! Vas-y ! Enfin l'essoufflement final, la ligne d'arrivée, les jambes qui soudainement s'arrêtent, muscles ballants comme s'ils allaient sortir de dessous la peau. Derrière, le vieux coureur termine en une heure et les organisateurs soulignent qu'il est le doyen, quatre-vingts ans. Après, on a droit à une col-

lation sous le hall du marché couvert, repas
froid, pain mouillé, charcuterie et gâteau au
chocolat, lui installé dans la solitude, au bout
d'une grande table.

18

Le lendemain, à la prise de service, il y a un arbre en carton déplié à la place des deux tables et de la nappe de Noël. La chargée de marketing y accroche de grosses cerises en papier crépon. Elle porte un chapeau de paille. C'est la campagne de pub pour Optimum confort, dit-elle. Il y a deux slogans : « Récoltez les fruits de vos efforts » et « Partez tranquille en vacances ». On organise un challenge de placement pour notre produit jusqu'à la fin du mois. Il y aura des chèques cadeaux à gagner. – Et les chapeaux ? – Ça rappelle l'été et c'est pour que vous n'oubliez pas vos placements, ajoute-t-elle en souriant. Elle effectue rapidement le tour des marguerites et dépose à chaque poste de travail une coiffe légère. Je vous laisse aussi un exemplaire du règlement du challenge. Dans un mouvement printanier de ruban rose, elle fait volte-face : Je file parce que j'ai d'autres plateaux à équiper.

Chaque opérateur regarde l'imposant totem en arrivant. Maryse, qui essaie de caser sa mèche raide sous un panama de jonc, bougonne : Ils feraient mieux de nous donner de l'argent plutôt que leurs chèques cadeaux. Robert tend une casquette de raphia à Roland : Tu vas attraper froid, tête de mappemonde. Puis il interpelle le chef qui a déjà posé un canotier sur sa tête : C'est ce qu'on appelle un couvre-chef, je crois ? Arrive Magali, qui vient de déposer sa fillette à la garderie. Elle regarde l'arbre au décor enfantin, ses collègues affublés de chapeaux de papier. Mais ce n'est pas vrai, j'ai l'impression de rentrer à nouveau dans une pouponnière ! – Sauf que c'est toi l'enfant, maintenant, précise Maryse.

19

S ous l'autocollant circulaire du camping trois étoiles de Pornic, le carnet commence à se remplir d'une série de notules sur les footings hésitants du début devenus réguliers. Courir au moins deux fois par semaine lui est devenu indispensable sans qu'il sache précisément pourquoi. De même, l'habitude qu'il a prise de noter les jours de course, les distances parcourues et autres impressions diverses lui paraît étrange. Il retourne son carnet pour inscrire tout cela, à l'encre verte du stylo quatre couleurs et en se cachant de Maryse qui a toujours les yeux qui traînent partout. Sur l'endroit, les numéros s'accumulent et les pages sont cornées à force d'être feuilletées. Il rappelle encore quelques clients de temps en temps pendant sa pause pour donner un renseignement, un complément d'information coincé dans les écrans du guide d'opérateur et qu'il n'a pas eu le temps de rechercher. Robert lui dit qu'il est bien bête, il ne sera pas mieux considéré pour autant. Maryse affirme que ça lui passera : elle aussi faisait ça à ses débuts.

Côté entraînement, les parcours qui s'arrêtaient il y a peu sur l'esplanade de la gare se sont allongés. Au-delà du rond-point, un vaste parking, utilisé à la fois par les nageurs du centre nautique et les voyageurs, s'ouvre en face de la place, derrière les platanes qui abritent les joueurs de boules. En contrebas, le canal que l'on abandonne pour grimper sur le rond-point de la gare reprend sa lente évasion, bordé d'une rive herbeuse. On peut rejoindre le chemin de halage en traversant les places de stationnement et en franchissant une haie trouée. On longe par la droite, sur quelques dizaines de mètres en bas du talus, les voitures en surplomb, puis le chemin s'érige des murs d'entrepôts d'une zone industrielle à proximité des voies ferrées. Il accélère un peu à cet endroit, reprend l'allure bousculée auparavant par la montée pour traverser les routes et franchir le parking. À sa gauche, le canal semble faire de même, le flot chaviré par l'écluse reprend sa glissade verte et tranquille, accompagne la cadence retrouvée.

Selon la forme, la distance varie : cinq, six ou sept kilomètres. Les entraînements asthmatiques du début, entrecoupés de marche, ont fait place à des exercices plus cadencés. Le premier pont qui enjambe le canal, après les entrepôts, le lycée professionnel et la caserne des pompiers, marque le parcours des cinq kilomètres si l'on fait demi-tour à cet endroit. Si l'on continue au-delà de la route, toujours par le chemin de halage maintenant bordé d'arbres, on peut rejoindre une écluse et sa petite maison attenante. Un chien aboie de façon aléatoire au passage des promeneurs. La distance est de six kilomètres en retournant de là. Enfin, si au lieu de s'arrêter on poursuit par la gauche, le long de l'avenue passante dans la direction de Paris, jusqu'à ce restaurant qui marque la fin de la ville, on est parti pour une distance de sept mille six cents mètres.

20

Il y a eu ce type un jour, celui à qui il avait tenté de vendre un contrat Optimum confort, mais vendre n'est pas son fort et le gars voulait juste qu'on lui rétablisse la formule de base sans laquelle son téléphone devenait inopérant, il avait payé, en était sûr, mais on avait égaré son versement, certains ont de ces histoires. Il avait noté le numéro sur le carnet (encre bleue du stylo à quatre couleurs = client à rappeler) et maintenant, à la pause, seul dans la cafétéria avec le café posé sur la table en Formica, il a ce type sur son téléphone portable, sa voix étrange, comme essoufflée, une sorte de rebond métallique après chaque expression, un étrange couinement entre les mots d'une phrase hachée : Très heureux... que vous me rappeliez... très important pour moi... Il raccroche, mal à l'aise malgré les compliments du client à l'autre bout, mais quelques jours plus tard, de nouveau sur son écran à la page d'accueil en couplage téléphonie-informatique, il reconnaît les coordonnées du client en même temps que sa voix de robot asthmatique : Bonjour... je suis client chez vous... et mon téléphone est toujours coupé. Il aurait fallu répondre les phrases prédigérées que le logiciel élabore : Nous allons regarder ça ensemble, vous êtes bien monsieur/madame/mademoiselle X ? Vous habitez bien numéro/nom de rue/ville ? Au lieu de quoi, il apostrophe le client, lui dit qu'il l'a reconnu, qu'il connaît bien son problème, qu'il ne comprend pas ce qui a pu se passer mais que c'est une chance de tomber sur lui, l'opérateur Éric, dans l'affectation aléatoire des appels vers deux cents téléconseillers au moins. Il répète : Une chance sur deux cents, peut-être plus, une chance sur cinq cents comme à la loterie. Et l'autre avec sa voix d'outre-tombe qui répond : Oh moi... vous savez... la chance... Inconscient d'une telle veine, le type, pas obligé de réexpliquer tout. Et Éric, votre opérateur, pour la première fois qu'il a envie de se nommer ainsi et que le foutu prénom choisi par hasard serve au moins une fois, Éric, donc, qui vérifie, qui dit, qui parle, qui discute, persuade, vole d'écran en écran dans une logorrhée incroyable (Maryse le regarde, éberluée) et qui conclut, dépité, que non le paiement n'est toujours pas arrivé. Et l'autre qui insiste : Mais je vous dis… que c'est sûr… Je peux vous donner… le numéro du chèque, et l'Éric tout neuf, enfin fier de son prénom – va savoir pourquoi – qui apostrophe maintenant Maryse, retirant son casque : Dis-moi comment forcer une transaction, mon client a payé mais son paiement n'apparaît pas et bloque le rétablissement de son téléphone, puis reprenant son micro, affirmant à son étrange client à voix de casserole : Ne quittez pas, je me renseigne. Et Maryse, fronçant les sourcils : Mais tu crois vraiment que… ? Et lui, de plus en plus affirmatif, enfiévré, électrisé, galvanisé par son prénom d'opérateur à goût de fer, Éric, preux chevalier des ondes, Éric, sauveur du client en détresse, Éric, qui sait trouver les mots qui persuadent. Et Maryse qui indique comment faire. Et, de suite, Éric qui effectue la manœuvre logicielle. Et qui reprend le client, explique que tout est arrangé. Et la soufflerie d'acier à l'autre bout, confondue en paroles souffreteuses, en mots étiolés, en mercis épuisés. Ah, être Éric dans la signification germanique de ce prénom de maître, de chef, de puissant, porté par plus de trente rois norvégiens, danois et suédois, un dieu presque… Maryse le regarde après son appel, qui triture son stylo à quatre couleurs, les yeux perdus dans le vague, un bref instant, quelques secondes à peine, et déjà la voix préenregistrée d'un Éric de pacotille s'achemine à son insu : X (*nom de l'entreprise*), bonjour, Éric, que puis-je pour votre service ?

21

Au total, à la veille de partir en vacances, le carnet indique exactement vingt séances d'entraînement pour une distance totale de 116 km et 300 m. Les commentaires commencent à se diversifier. Simples indications sur l'état cardiaque au début (endurance et accélération finale avec pouls à 148 pulsations par minute, puis 108 après une récupération de trois minutes – séance du jeudi 21 mai), ils finissent par donner des informations sur l'allure au fur et à mesure que les sensations prennent corps (départ rapide, 14 minutes à mi-parcours, puis retour plus lent avec accélération finale, pouls à 160 pulsations par minute, 120 après récupération – séance du samedi 30 mai). Il y a des jours avec (course très régulière, pas de fatigue – séance du jeudi 4 juin) et des jours sans (difficulté à trouver le rythme, essoufflement, lenteur, temps orageux, un peu de marche avant la gare, très peu couru, pluie soudaine au pont des Soupirs – séance du mardi 9 juin). Le parcours qui longe le canal est souvent désert. Pourtant, le lundi 1er juin, il avait écrit : suivi un jogger au retour, même allure, pouls à 150 pulsations à l'arrivée. Pour trouver le temps et l'opportunité de courir deux ou trois jours par semaine, tout prétexte est bon. Ainsi, ce mercredi 22 juillet : petit parcours de 4 km au retour du garage (la voiture était en révision). Premières séances, donc, scrupuleusement notées entre mai et fin juillet. Il fait beau, la sueur pique les yeux rapidement. Il lui faut se concentrer sur la régularité du souffle. Mais il additionne les kilomètres, cela devient obsessionnel, une volonté. À peine rentré du travail, il enfile les chaussures. Elle s'étonne d'un tel engouement, il répond sur la nécessité de s'aérer l'esprit et le corps depuis le nouveau travail, vraiment besoin. Et puis il faut profiter de la belle saison. Le lundi 20 juillet, il écourte le repas de midi dans la ville où il travaille pour aller s'acheter de bonnes chaussures de running : New Balance M 1223 SR, taille 41, idéales pour les coureurs pronateurs, tous poids, qui recherchent le meilleur de la technologie. Contrôle total de la foulée et excellent amorti sur moyennes et longues distances, explique l'étiquette.

22

À dix heures du matin, la température dépasse déjà les trente degrés. Mais ce sont les vacances et pas question de s'enfermer. La maison est agréable, ouverte sur des terrasses. La lumière est d'abord tranchée net par les auvents de tuiles, puis s'adoucit sous le feuillages des arbres. Des ombres mouvantes ondulent sur les carreaux de terre, mais, au bout de quelques mètres, le soleil délivré de tout obstacle semble vouloir pénétrer dans le sol, faire éclater les poteries de géraniums et piler la terre en poussière brûlante. Dix heures du matin, c'est le moment où l'on part courir pour la première fois de la journée. Car il y a une deuxième séance après la plage : les enfants préfèrent la douceur du soir (toute relative, car il fait encore plus de trente). Elle choisit le matin. Elle est déjà bronzée, il remarque son cou déjà noir et ses épaules constellées de taches de rousseur quand elle se penche pour lacer ses chaussures. On fait de petits trajets mais il y a des côtes et des faux plats. On a loué dans les collines de l'arrière-pays. À quoi peut-on penser ainsi heureux et sans souci de la journée à organiser ? L'air est léger, le soleil exacerbe l'odeur du jasmin en bas du passage. On rejoint les petites rues désertes qui serpentent entre les maisons. Le village, à flanc de coteau, semble avoir semé ses murs et ses toits sans ordre et les chemins ont contourné avec naturel cette dispersion nonchalante. On passe devant un potager impeccablement tenu. On admire les aubergines, les tomates et les salades. Le grand-père regarde passer ces étrangers qui courent à petites foulées et en pleine chaleur mais les gens du coin savent bien que les touristes sont un peu dérangés. Un peu plus loin, il y a une maison à vendre, neuve et carrelée, bien entretenue. L'esprit alors invente des projets, un héritage hypothétique pour acquérir la bâtisse. On se voit à la retraite, partageant ici un hiver au soleil et un été rempli de petits-enfants. Elle dit : Arrête de rêver !

Le soir, le trajet est identique avec les enfants. Les corolles ouvertes des belles-de-nuit embaument déjà le crépuscule. L'odeur du jasmin paraît encore plus forte, comme réfléchie par les pierres de la maison qui restituent la chaleur de la journée. Après le faux plat du retour, on longe un chemin tortueux, bordé de murets. Derrière, on aperçoit les vignes, les tonnelles où s'agitent des ombres dans un cliquetis de vaisselle. L'air sent le barbecue. Des chats rôdent au sommet des haies et se tapissent à l'approche des coureurs. C'est l'été, le bonheur. Au retour, il notera simplement sur son carnet, rubrique course à pied, encre verte du stylo à quatre couleurs : du 25 juillet au 8 août, environ 60 km au total, à raison de deux fois par jour à allure modérée. Mais chaque fois qu'il lira ces lignes, le souvenir de cette tranquillité viendra s'inviter comme un baume bénéfique entre deux clients.

23

La nuit est chaude et lourde, épaisse et bruyante d'insectes. À travers la moustiquaire, quelques aboiements de chiens remuent à peine l'air de temps à autre, puis la chaleur coule à nouveau sur les draps, dans l'obscurité de la chambre. Frottement doux de sa peau contre la sienne, une couleur pain d'épices, ouatée d'ombre, veloutée. Leurs mains sont caressantes, leurs rires étouffés : bonheur. C'est un été à sourire, un cliché de carte postale : soleil de plomb et nuits de mercure. On est bien, quinze jours par an, ce n'est pas la mer à boire mais c'est la vie entière qu'on veut engloutir avec appétit.

Ils ne le savent pas, ainsi loin de l'actualité, mais d'autres vont mourir, certains sont déjà morts. On s'en émeut au même moment : six syndicats lancent un cri d'alarme. Leurs propos sont durs : on prétend que la commission nationale « Santé, hygiène et sécurité », chargée de veiller sur les conditions de travail, occulte la responsabilité pleine et entière de l'employeur vis-à-vis de la santé de son personnel. On interpelle la direction. Nous sommes transparents et nous ne sommes pas dans le déni, dit-elle. Nos managers sont formés à la détection des signaux faibles, c'est-à-dire à la détection des risques psychosociaux ; nous avons créé des espaces d'écoute et d'accompagnement. C'est la rhétorique habituelle du travail, arguments des uns et des autres, syndicats et direction. Mais une grande partie du personnel est en vacances et peu s'avisent de ces joutes oratoires. Et combien savent ce qui se cache derrière ce jargon : le risque, on sait ce que c'est, mais le psycho-chose, qui en a déjà entendu parler ? Quels sont ces signaux faibles qui apparaissent ? Et où aller, dans quel espace, quelle galaxie fumeuse trouver celui qui écoute ? Et qui accompagne qui ? Pour faire quoi ? Depuis longtemps on sait que ces effets d'annonce ne sont que les modes de fonctionnement de nos entreprises de taille gigantesque. Déjà bien assez à faire avec son travail, sa vie personnelle pour s'occuper de ceux qui inventent de tels concepts. Quelques spécialistes payés pour trouver des solutions, tout un système alambiqué, qui en a déjà entendu parler à cette époque de plein été ? Dans la capitale, les touristes viennent goûter le charme français, la douceur de vivre à la terrasse des cafés. Nous sommes transparents comme l'eau claire, clame la direction, et ce « nous » collectif se perd dans la léthargie de l'été. Pourtant, en juillet, à Marseille, dans la même torpeur estivale, avec la mer scintillante des calanques, le ciel d'airain comme un couvercle brûlant, tout cela n'avait pas suffi à taire le drame qui s'était déroulé et les mots implacables de celui qui avait affirmé : Je me suicide à cause de mon travail. À cause de. Origine, fondement, raison, motif.

Retour brutal aux mots sauvages.

24

Au retour des vacances, c'est toujours le même cinéma. Il y a ceux qui traînent les pieds, prêts à répondre d'une manière désabusée qu'on serait bien resté là-bas. Ceux qui rapportent des calissons d'Aix, du chocolat suisse ou du chouchen de Bretagne. Ceux qui exhibent leur bronzage. Ceux qui sont intarissables sur le petit restaurant de fruits de mer tellement typique. Ceux qui reviennent crevés. Ceux qui miment le dépassement de la caravane qui a basculé sur l'autoroute juste devant, la peur qu'on a eue. Ceux qui snobent les autres en rapportant les brochures de l'hôtel quatre étoiles tout confort, le plus beau de Ouarzazate, précisent-ils. Ceux qui s'assoient sans rien dire et qui attendent qu'on les interroge. Ceux qui découragent d'avance les questions par leur blancheur de peau. Ceux qui ont envoyé une carte postale représentant des doigts de pieds en éventail sur une plage avec en commentaire : On se la coule douce à Saint-Malo. Ceux qui reviennent en forme, portant encore leurs chaussures de montagne. Ceux qui ont visité leur famille dans le Gers. Ceux qui ont profité des vacances pour construire un garage, un mur de clôture, un appentis. Ceux qui sont restés. Ceux qui partiront en hiver. Ceux qui n'ont rien fait. Ceux qui ont tout vu. Ceux qui grognent. Ceux qui rient. Ceux qui réapparaissent un mardi pour ne pas faire comme tout le monde. Ceux qui ne reviennent pas tout de suite parce qu'ils se sont foulé une cheville en descendant du ferry (heureusement, c'était au retour de Corse, ça aurait pu être au premier jour des vacances, ironise le chef, seul informé du contretemps de son équipier).

Celui qui regarde sa main saisissant la poignée de la salle et qui se dit que ça y est, oui, elle a vraiment rétréci la grosse paluche d'électricien qu'il possédait avant. Et celui-là de rentrer, de serrer la main à tout le monde avec cette même poigne puis de s'asseoir à sa place, avec Maryse déjà installée et déjà en conversation avec un client, avec les places vides de Robert et Roland qui ne reviendront que la semaine prochaine. Il sort du tiroir le carnet à couverture de carton vert, le stylo à quatre couleurs, pose tout cela sous l'autocollant circulaire du camping trois étoiles de Pornic, à côté du téléphone, enfile le casque et fait la manœuvre qu'il faut pour être de nouveau disponible, rentrer dans le cercle des opérateurs en service.

– X (*nom de l'entreprise*), bonjour, Éric, que puis-je pour votre service ? (*préenregistré*)

– Bonjour, je suis client chez vous et j'aimerais changer mon contrat.

– Nous allons regarder ça ensemble. Vous êtes bien monsieur/madame/mademoiselle X ? Vous habitez bien numéro/nom de rue/ville ? (*page d'accueil en couplage téléphonie informatique*)

C'est reparti.

25

Vers la fin de la semaine, le chef lui demande de venir dans son bureau. C'est une petite pièce que tout le monde appelle « le parloir », un endroit encombré de papiers où s'entassent des chaises cassées, de vieilles publicités, des promotions périmées. Il y est rarement, le chef, il préfère rester dans la grande salle des opérateurs et errer d'un îlot à un autre, toujours un papier à la main, un stylo au coin de la bouche, s'installant à un bord de table, répondant ici à un problème, là s'enquérant d'un renseignement pour des statistiques que la direction lui réclame. Parfois, il s'installe à la place d'un opérateur absent et celui-ci, à son retour, ne manque pas d'aller lui rapporter les quelques feuilles et gribouillages abscons qu'il laisse traîner partout. Robert, qui cherche toujours un bon mot, l'a surnommé « le butineur » car il passe ainsi d'une marguerite de bureau à une autre, inlassablement tout au long de la journée. Mais, d'un avis unanime, on admet que c'est un bon chef. Maryse a raconté au nouveau les premières fois où, parti en vacances, il envoyait à tous une carte postale personnelle : Et pas le même discours, hein ! Un petit mot gentil pour chacun de ceux qui restaient à bosser. Il y avait moins de monde dans le service, faut dire. Ça a duré deux ans. Après il a divorcé, il s'est aigri – puis, se reprenant – non pas aigri, mais il est devenu morose. Et il n'a plus jamais envoyé de carte postale. Il ne part plus en vacances, il reste chez lui quand on l'oblige à prendre ses jours de congé.

Donc, le parloir – encore un bon mot de Robert, car le chef, devenu taciturne, s'y entend pour laisser le silence s'installer et les langues s'y délient par peur du vide. Le parloir sert à discuter avec chaque opérateur des objectifs individuels, des résultats obtenus, des problèmes rencontrés. Le nouveau y est déjà allé et le chef a expliqué les placements, les points que pouvaient rapporter les contrats Optimum, toute une mécanique que l'opérateur avait jugée compliquée, et pas étonnant que les clients ne se retrouvent pas dans l'élaboration de nos conventions juridiques si elles sont établies par de pareils esprits tordus. Quand il pénètre dans le parloir, celui-ci est encombré du totem en carton en forme d'arbre avec encore quelques cerises en papier crépon accrochées dessus. Le chef maugrée en déplaçant l'objet pour dégager une chaise. Elle pourrait venir chercher ses machins, la chargée de marketing. Il fait un geste circulaire. Contre le mur, il y a une tête de gondole représentant la proue du *Titanic*, vestige d'une campagne de pub qui vantait le couplage téléphonie-télévision services tout compris. Dans un coin, un ours gonflable en plastique, avec Optimum écrit sur son ventre, achève de se dégonfler.

Le chef va droit au but : il lui tend une page écran sur laquelle sont imprimées les coordonnées d'un client. L'opérateur Éric reconnaît celles du type à la drôle de voix métallique. Il paraît qu'il n'a jamais payé son abonnement et la bidouille logicielle pour maintenir son abonnement était une faute sans vérification préalable. Il a fallu rectifier, ce sont des manœuvres compliquées qui nous coûtent encore plus d'argent. Le chef dit cela d'une voix atone et ennuyée. Que répondre ? Tout est vrai. Mais c'est le faux qui a amené cette histoire. Comment l'expliquer ? Que l'opérateur Éric a pété les plombs, usurpateur d'un faux prénom, tributaire de conversations enchaînées à la suite comme autant de mirages auditifs, spectateur d'écrans virtuels qui s'effacent au fur et à mesure sans possibilité de les retenir, tout un monde faux, approximatif, apocryphe. Que toute cette dissimulation, hypocrisie, duplicité est provoquée par ces séries de dialogues improbables et normés, soumis à l'aléatoire d'un logiciel qui décide pour vous des mots à dire. Est ainsi tronquée la perception d'une vraie vie. Un peu comme si la boulangère tendait un hologramme de baguette à une voix synthétique dans une boutique qui n'existerait pas. Et que cela finit par vous taper sur le système à force de pas d'existence tangible, palpable, concrète, physique, matérielle, authentique, véritable, sûre, sincère, loyale, fidèle, convenable, apparente et manifeste. Dire tous ces adjectifs fait du bien. Il ne répond pas au chef, il hausse les épaules, ses mains blanches et rétrécies tiennent la feuille mal imprimée. Ses mains blanches, celles qui tenaient il n'y a pas si longtemps la réalité d'un tournevis, d'une pince, d'un wrappeur pour des gestes utiles, précis, visibles, perceptibles, ostensibles.

26

Très vite, un autre drame a lieu, un collègue qui met fin à ses jours dans une ville de province. C'est Robert qui le dit aux autres. Il l'a appris d'un délégué du personnel. Il paraît que c'est le vingtième depuis dix-huit mois, les syndicalistes ont déjà prévenu la direction. On reste incrédule, ce ne peut tout de même pas être le travail qui pousse ainsi. Nous-mêmes, souvent on en a marre, mais de là à passer à l'acte, dit quelqu'un. Certains affirment qu'il y a déjà eu un gars à Marseille, en juillet. D'autres, qu'on en a parlé aux informations. Il y a des articles dans la presse aussi, paraît-il. Il y aurait eu des manifestations de soutien. Informations hypothétiques échangées à l'occasion d'une pause café, à l'heure de la cantine. Comment savoir ? Il y a longtemps que l'information ne circule plus. On déménage les services tous les quatre matins. Les syndicats n'arrivent plus à suivre, c'est voulu, on nous isole, constate un collègue. C'est dit sans animosité, mais l'idée d'une vaste machination prend forme. Le mot « machination » pris dans son sens le plus trivial, une machine qui se serait enrayée, un moteur emballé, quelque chose qui déborde. On regagne sa position de travail le café terminé, le repas expédié. Son travail : chose sécurisante, des chômeurs se battraient pour un tel confort de vie. Ambiance feutrée, moquette au sol, paravent bordeaux avec même de la place pour un univers personnel et l'autocollant d'un camping trois étoiles à Pornic. Son ancien chef lui avait dit en guise de consolation quand on l'avait affecté ici : Et plus besoin de te salir à passer des câbles dans la laine de verre des faux plafonds, ou entre les pattes des rats dans des conduites souterraines, veinard !

27

Son portable sonne rarement et toujours pour des numéros connus, sa femme, les enfants. Là, c'est un numéro inconnu qui s'affiche. Il est en voiture sur la route du retour du boulot. Le parking est juste devant, mais le temps qu'on s'arrête. Il stoppe devant une poubelle verte marquée d'une inscription *Merci pour la planète* au moment où le téléphone cesse de sonner. Des camions passent en secouant l'habitacle à grands coups de courants d'air. Pas de message déposé, c'est sans doute une erreur, mais à nouveau la sonnerie retentit au moment où il s'apprête à repartir. C'est une voix de femme, hésitante, qui a du mal à trouver ses mots. Elle précise qu'il ne la connaît pas, que c'est son frère qui a noté ce numéro. Il reconnaît, au nom évoqué, le client à la voix métallique et pour lequel il s'est fait ramoner par le chef. Elle explique que l'abonnement est à nouveau suspendu faute de paiement mais pourtant on a payé et le chèque a été tiré. Il répond qu'il n'est pas au bureau, qu'il a fini sa journée. Elle se confond en excuses. Je ne sais pas qui appeler. Il ne sait pas quoi dire. À nouveau un camion fait trembler la voiture. Il promet de rappeler le lendemain quand il sera à nouveau à son travail.

Il y a des gens pour qui les promesses sont importantes et il est de ceux-là. Il rappelle donc. Elle semble soulagée, confiante : C'est à cause de mon frère. Suit une histoire bien glauque où il apparaît que le frère en question est allongé sur un lit suite à un accident, il ne peut plus bouger, il a subi une trachéotomie. Cela explique l'étrange souffle bruyant quand il parle. Elle ne sait pas où envoyer les preuves du paiement, le relevé de comptes, comment faire. Lui non plus ne sait pas. Il est nouveau et pas question de demander à Maryse, il faudrait fournir des explications à n'en plus finir. Il s'entend dire qu'il peut venir récupérer tout cela à son domicile : c'est la ville d'à côté, depuis le temps qu'il appelle, il connaît les coordonnées du client par cœur. Ce sera un soir après son travail. On se donne rendez-vous. Elle raccroche, contente, un peu incrédule : Vous viendrez, hein ?

Il jette son gobelet à la poubelle, sort de la salle de repos en soupirant : avait-il besoin de cette histoire-là ?

28

Cette vieille affaire qu'il avait oubliée le réveille au milieu de la nuit comme un mauvais rêve. Sur le moment, il n'avait pas trouvé cette histoire triste ou grave, plutôt une bonne chose même, une anecdote agréable qui avait traversé son ancien travail. À cette époque, va savoir pourquoi, on supprimait les salles de conférences, les pièces trop grandes dévolues jusqu'alors à des réunions directoriales, pour les remplacer par des séries de bureaux plus petits. Et c'est sans doute parce que ces petits centres de décisions avaient tendance à disparaître que les vastes salles destinées à promouvoir la politique d'entreprise de quelques petits chefs étaient devenues inutiles. *Exit* les hobereaux du coin, hommes paternalistes auxquels tous, de la femme de ménage au cadre, donnaient du Monsieur le Directeur long comme le bras. Les plus veinards étaient partis en retraite, poussés par quelques primes qui leur permettraient d'attendre la vieillesse à l'ombre de cocotiers exotiques. Ceux qui n'avaient pas pu partir tiraient leur flemme dans des postes subalternes de diverses capitales régionales où on leur servait encore du Monsieur le Directeur, titre purement honorifique, avec un petit sourire narquois. Les moins chanceux se démenaient dans les nombreux placards du siège avec un titre de chargé de mission. Missions synonymes d'activités, occupations, tâches obscures, rôles de bons offices que tous ignoraient, y compris le directeur (le vrai) qu'ils tentaient de coincer dans un couloir, la cravate tremblante, la voix déférente et mal assurée, les bras encombrés de dossiers. À l'heure de l'informatique, vous vous rendez compte ! Je ne savais plus comment m'en dépêtrer, dirait plus tard le même directeur (le vrai) à un auditoire acquis et composé d'une secrétaire enamourée, d'un adjoint fayot et d'un jeune polytechnicien dont on entendrait parler un jour. Encombrés encombrants, les biens nommés chargés, lestés, embarrassés de missions secrètes, de fardeaux inutiles sont les témoins obsolètes et désuets, les marques vieillottes et démodées de l'entreprise qui bouge et qui avance. Sans eux, comment mesurer le chemin parcouru ? Il reste le mépris, le vieil élan révolutionnaire qui envoie ainsi avec délectation à la guillotine de pareils symboles de nos entreprises à la papa, au nom de la modernité.

Au temps des nouvelles multinationales, donc, de toute cette organisation qui s'était autoproclamée « grand groupe », il avait participé au démantèlement de la vaste salle de conférences au rez-de-chaussée d'un bâtiment, retiré des câbles qui couraient dans le faux plafond, tout le système des haut-parleurs et des micros branchés sur le pupitre du conférencier devenu inutile. Il se souvient d'avoir demandé à celui qui démontait les rangées de sièges rembourrés, type cinéma, grand luxe et couleurs chatoyantes : Et vous en faites quoi ? – On les balance. Tu veux que je t'en garde une paire pour ton salon ? Il n'avait jamais su ce qu'était devenue la vaste salle de conférences, à quel usage elle avait été dévolue par la suite, mais ce dont il se souvient parfaitement – et c'est la cause de cette insomnie –, c'est le visage anguleux et éberlué du stagiaire qu'un type était venu chercher pour le conduire dans un petit débarras attenant au chantier et dans lequel on entassait pêle-mêle les habits et les thermos des ouvriers, deux vieilles imprimantes hors d'usage qu'on avait stockées là sans savoir pourquoi. Il se tenait là, le jeune stagiaire, mains ballantes, silencieux, devant le type venu le chercher, un gars qu'on ne connaissait pas et qui lui montrait une plaque de marbre décrochée, posée là contre le mur, à même le sol, à côté d'un maillot de corps et d'une tasse à café pas lavée : *À la mémoire de* − et suivait un nom propre. La plaque était jusque-là accrochée à la porte de la salle de conférences, disait le type, d'ailleurs tout le monde connaissait cette salle par le nom de ton papa. C'est comme cela qu'on avait su que le jeune stagiaire était le fils de celui qui s'était tué sur la route (en service, comme on disait) vingt ans auparavant. S'en souvenait-il, par ailleurs, de ce père trop tôt disparu ? Il devait avoir deux ou trois ans à l'époque et voilà qu'aujourd'hui le type lui disait : Tu devrais récupérer la plaque, nous, on ne sait pas quoi en faire. Longtemps, il avait aimé le souvenir de cette anecdote, quelque chose qui partait d'un bon sentiment. La boîte, oui, était humaine, si le jeune avait pu faire un stage ici, c'était manière d'honorer un employé modèle et d'avoir donné son nom à une salle prestigieuse, *À la mémoire de* − suivait un nom propre : c'était aussi une marque de respect. Mais là, au milieu de la nuit, la scène se répercutait avec toute son horreur : le jeune, bras ballants, impuissant, n'ayant jamais connu son père qu'à travers un marbre de cimetière, voilà qu'on lui demandait de l'enterrer à nouveau, de le faire disparaître hors de notre vue, d'effacer cette trace à notre place. Nous, on ne sait pas quoi en faire, on ne sait plus s'encombrer de rien, pas prévu dans la grande modernité du monde de garder quelques vieilles empreintes, stigmates de ceux qui, en leur temps, avaient su se sacrifier pour... Pour quoi déjà ? On avait oublié. Il fallait effacer jusqu'à leurs noms.

Elle demande : Tu as bien dormi ? Peu loquace en réponse.

29

Il y a ces articles de journaux qui titrent sous le nom de l'entreprise : « Stress extrême », « Appel de détresse » ou « Le mal-être mine les salariés ». Ça fait drôle, dit Maryse, on dirait qu'on ne parle pas de nous. Ici, la fin d'été est tranquille, des collègues reviennent encore de vacances, certains soupirent, mais bon, si on veut repartir, disent-ils. Phrases rituelles, ordonnancement des saisons. Les parents pensent déjà à la rentrée, s'échangent les bonnes affaires. Mais il y a ce plus, toute cette actualité. Un opérateur d'un îlot voisin : Mon voisin m'a annoncé qu'on avait encore été cités à la télé pour nos histoires. Ils ne doivent pas avoir grand-chose à se mettre sous la dent. C'est un coup de la concurrence pour nous déstabiliser, ajoute quelqu'un. Le cartable 100 % polyester à bretelles ajustables et la trousse assortie sont à vingt-neuf euros quatre-vingt-dix : deux mères comparent les publicités des supermarchés. Robert se redresse et frappe du dos de la main la page de journal qu'il tient : La commission stress, c'est du pipeau absolu, qu'il dit le syndiqué. Je suis d'accord avec lui : je n'en ai jamais entendu parler et ça fait quarante ans que je travaille. — Toi, c'est sûr, ce n'est pas l'angoisse qui t'habite, réplique Maryse. — Quoi, qu'est-ce qu'elle a ma bi... Une des mères lève la tête et fronce un sourcil : Moins fort, on n'arrive pas à s'entendre. Puis plus bas, replongeant dans le catalogue : Tu vois, celui-ci a deux poches avant zippées, mais l'autre modèle n'en a qu'une, et en plus fermée par une simple bande velcro. Pour le prix, ils pourraient faire un effort. L'incertitude sur l'évolution de nos métiers génère de l'inquiétude, lit encore Robert tout haut à qui veut l'écouter. Évolution de nos métiers, répète-t-il en hochant la tête. Ils exagèrent, ils nous prennent pour des riches, conclut la mère de famille en repoussant la publicité. « Nous », « ils » : marques d'un pluriel qui englobe tout pêle-mêle, collègues, patrons de supermarchés, enfants portant des cartables, journalistes. Pluriels et variés aussi l'actualité inquiétante, le bel été qui ne cède pas la place à la rentrée, choses gaies ou tristes, bonnes affaires et plans foireux, marketing de nos vies ordinaires.

Il a retourné son carnet et écrit à l'encre verte : mercredi 26 août, 6 km à allure moyenne, temps chaud, fatigue et point de côté, marché un peu au retour, pouls à 120 pulsations par minute. Le chef arrive dans la pièce, essoufflé : Excusez-moi, j'ai été retenu au téléphone. Vous êtes prêts pour la réunion d'équipe ? Robert montre son casque posé à côté : Bien sûr, c'est le site de Dijon qui prend nos appels en attendant, ça fait déjà cinq minutes.

30

– La formule Optimum confort constitue l'offre principale de nos contrats. Elle vous donne droit à… (*énumération des privilèges clients*) Cela agrémenté des services entièrement gratuits de notre *hotline* dédiée et accessible du lundi au samedi de 8 heures à 20 heures. Vous avez la possibilité d'opter d'entrée de jeu pour un contrat de trente-six mois, ce qui vous garantit de pouvoir bénéficier d'une revalorisation permanente et attractive de nos prix. Est-ce bien cela que vous désirez ?

– Non, j'en ai marre que vous me posiez toutes ces questions.

– …

– Vous ne pouvez pas parler normalement ? Me demander simplement pourquoi je vous téléphone au lieu de me sortir vos phrases toutes faites ?

– …

– Dans quel monde vivons-nous ? Je vous le demande. Hein ? Vous entendez, je vous le demande, c'est moi qui vous pose une question ! Ça change, n'est-ce pas ? Il ne sait plus quoi dire, Éric ?

– ...

– Dites voir, Éric, vous êtes libre ce soir ? On pourrait peut-être boire un verre ?

– ...

– Allez va, je rigole, Éric ! N'ayez pas peur. Mais tout de même, c'est agaçant toutes ces voix anonymes, toutes ces leçons apprises. Vous êtes forcé de faire ça ? Vous ne voulez pas changer de boulot ? Je ne sais pas, moi, devenir boulangère comme moi, parler à des vrais clients, en chair et en os.

– ...

– Ne vous inquiétez pas, je vais raccrocher. Et je sais que les appels peuvent être enregistrés. Alors, votre contrat machin chose confortable, vous pouvez en faire une cocotte en papier. J'espère que ça au moins ce sera enregistré et porté à l'oreille de votre chef.

– ...

– Une dernière chose, Éric : si vous passez à la boulangerie Au Bon Pain dans la ville qui s'affiche sur votre écran, vous verrez comment on fait pour servir de vrais clients en chair et en os. Et sachez que je ne vous salue pas ce soir, Éric, je ne dis pas au revoir aux robots.

31

À nouveau c'est le bureau du chef. Le totem en carton et ses cerises en papier crépon sont toujours là, ainsi que la tête de gondole simulant la proue du *Titanic* et l'ours gonflable en plastique, avec Optimum écrit sur son ventre. Seule la figure du chef est différente. À la place du visage glabre et des paupières lasses, c'est un petit brun moustachu, avec des poches sous les yeux et un bizarre costume en velours lisse. Il se présente et on oublie aussitôt son nom. Il va droit au but : il est là pour estimer les résultats obtenus (se rendre compte, dit-il) et chacun à droit à un entretien. Il sort alors une feuille avec un graphique. Il montre quelques points reliés par une ligne : c'est là qu'on se situe, en dessous de la moyenne, qu'il dit. On argumente en disant qu'on vient d'arriver. Il a un faible sourire : oui, il sait. Mais aussitôt il montre deux petites courbes, cette fois-ci au-dessus de la moyenne : eux sont arrivés en même temps. Que dire ? Pas le temps de préparer une réponse, alors juste cette moue de la mâchoire, un imperceptible haussement d'épaules, le regard qui s'abaisse sur ses propres mains s'empoignant l'une l'autre, un des pouces s'appuyant sur la peau et la jointure blanche, presque transparente des articulations qu'on a le temps de remarquer : plus rien à voir, ces mains-là, avec celles qu'on a connues, épaisses, marquées par les coupures, striées d'une crasse noire si difficile à faire partir. Le petit brun dit qu'il est en retard de vingt contrats. Allez, quoi, ce n'est pas la mer à boire : ça fait pile poil un de plus par jour. Lui pense à l'appel d'hier : il a bien essayé de placer de l'Optimum confort, mais l'autre, la boulangère et son bon pain, l'hallucinée et son discours de folle. Le petit moustachu s'est levé et le raccompagne à la porte en contournant l'arbre totem et ses cerises factices. Il présente une main à serrer, fine et nerveuse comme celle d'une femme. Il esquisse un vague sourire de circonstance sous sa moustache. Pas la mer à boire, répète-t-il. Dans l'ombre, la fausse proue du *Titanic* s'enfonce déjà. Allez, on y va ! Déjà le petit brun en ouvrant la porte accueille l'opérateur suivant (une des jeunes femmes qui comparaient les cartables de la rentrée, l'autre jour).

32

A u vingt et unième suicide, tout de même, c'est l'emballement. Ça s'est passé dans les derniers jours d'août, quelqu'un à qui la boîte avait demandé d'« améliorer son comportement ». On voit cela à la télé tous les jours. On l'entend à la radio en venant au boulot le matin. On le lit maintenant quotidiennement dans les journaux que chacun apporte dans la salle de café. Ça fait vraiment drôle, répète inlassablement Maryse. On voit des titres en lettres énormes : « J'ai vu des collègues venir au boulot en pleurant ». On se dit qu'ils charrient tout de même, les journalistes. À l'intérieur, ce sont des témoignages : Serge, Étienne, Gérard, Monique, « des prénoms modifiés et bien sûr pas de photos », annonce l'article. Les situations d'échec, les gens qui craquent, l'augmentation du nombre des arrêts de maladie, c'est exagéré tout ce qu'ils racontent, ajoute Maryse. – Ah bon ? réplique Robert. Tu as oublié Christian ? Et il explique au nouveau que Christian est en arrêt pour dépression depuis plus d'un an. Et moi, je le connais, Christian, un bosseur, pas le genre de type à se laisser aller, on était dans la même équipe de techniciens autrefois. Un type épatant, et il en avait là-dedans. (Il se frappe la tête avec le plat de la main.) Et avant lui, la petite Juliette ? Jamais réapparue. Et même Roland, il en prend des jours de maladie, hein, Roland ? L'interpellé finit d'avaler son quartier de pomme et réplique : C'était une grippe. – Ah oui ? Une grippe qui dure trois semaines ? – Tu pousses un peu de t'en prendre à Roland, dit Maryse. Robert ricane et agite son gobelet vide : T'as rien compris, ma pauvre Maryse, je ne m'en prends pas à Roland, simplement j'en ai marre qu'on dise que tout va bien parce que nous, on a la chance d'avoir un chef sympa et de bien s'entendre. Et d'abord, qui pense à prendre des nouvelles de Christian, hein ? Tu lui téléphones, toi ? Maryse hausse les épaules : Je le connais pas plus que ça. – Eh bien, tu veux que je te dise, c'est l'indifférence qui nous tue, conclut Robert. Le nouveau consulte sa montre : Il faudrait peut-être y retourner. Maryse fait une moue rigolote devant Robert, sa mèche raide et blonde cachant un œil qui papillote : Tu ne m'en veux pas ? – Mais non, dit Robert en haussant les épaules. Tiens, regarde (il embrasse Roland sur le front), il sait bien que je l'aime, mon chauve.

Au retour de la salle de repos, le nouveau passe la porte du plateau le premier : penser à placer de l'Optimum confort, un de plus par jour.

33

Il arrive à la ville d'à côté le soir prévu. Il a un peu de mal à trouver l'adresse du type à la voix métallique. C'est un quartier d'immeubles tous pareils, réunis quatre par quatre avec au milieu un petit jardin muni de jeux déglingués et planté d'arbres faméliques. Quand il appuye sur l'interphone, il reconnaît la voix de la sœur : C'est au rez-de-chaussée, je vous ouvre. Le palier sent la soupe chaude et la pisse de chat. Elle ouvre la porte, petite, les cheveux frisés, une jupe à carreaux et un large sourire. Une jeunette, vingt-cinq ans peut-être. Il ne l'imaginait pas ainsi. Vous avez trouvé facilement ? Oui de circonstance. Elle ajoute, impatiente : Suivez-moi, il a hâte de vous voir. On circule dans un couloir étroit. Il y a des photos aux murs, des vues d'Alger au siècle dernier, c'est marqué dessous. On arrive devant une porte large et changée récemment, le papier peint est décollé sur le pourtour. Ne faites pas attention, il a fallu faire des aménagements (elle désigne l'ouverture à deux battants qui mène à la salle à manger), on ne pouvait pas le laisser là, c'est trop bruyant et les gens venaient le regarder comme une bête curieuse. Elle désigne la porte-fenêtre entrouverte. On entend des cris d'enfants. Au-delà du voilage, on en voit un monté en haut d'un toboggan qui fait de grands signes à quelqu'un en bas qu'on ne voit pas. Déjà que c'est l'attraction quand l'ambulance vient le chercher pour ses soins. On le passe par le balcon, c'est plus pratique parce que l'entrée est trop étroite avec la rampe de l'escalier. C'est pourquoi on a obtenu de s'installer au rez-de-chaussée. Avant, on était au sixième, c'était beaucoup plus tranquille. Elle explique, la main sur la poignée de la porte. Il se tient devant elle, regardant alternativement le salon et la porte refaite. Enfin elle ouvre à moitié, sa tête disparaît à l'intérieur et le reste paraît en équilibre, comme tranché par le montant, l'épaule prolongée de la main qui tient toujours la clenche, la jupe à carreaux de dessous laquelle s'échappent deux jambes dont l'une est suspendue. Il entend : Le voici, je peux le faire entrer ? Donc, il entre. La chambre paraît minuscule par rapport à l'énorme lit médicalisé qui semble vouloir prendre toute la

place. Au milieu, il y a cette masse inerte avec
cette tête posée sur trois oreillers et qui sourit.
Entrez... Entrez, répète la voix essoufflée. Il
hésite à avancer au-delà du pied du lit mais elle
l'invite à venir près de l'oreiller du côté gauche.
Sa tête est légèrement tournée. D'habitude on
serre la main, mais là, les deux sont inertes,
posés sur les draps. La tête remercie d'être
venu. Il répond que c'est tout naturel. Échange
de politesses, puis silence. Elle en profite pour
demander s'il désire un café. Oui, merci. Elle
sort et de suite la tête désigne d'un hochement
du menton l'écran d'ordinateur suspendu au
plafond par un bras articulé. C'est tout ce qui
me reste... Tenez... Je vais vous montrer. Il
saisit de la bouche une sorte de petite baguette.
Sa main droite qui semblait immobile tient une
télécommande que seul l'index active, le bras
est toujours pétrifié. Dans un bruit de moteur
électrique, un petit clavier accroché au montant
du lit s'approche de la bouche et l'écran des-
cend devant ses yeux. À l'aide de la baguette
coincée entre ses dents, il tape quelques touches
et l'écran s'allume. Voyez, Éric, dit-il, de sa
voix de robot saccadée et gênée par la baguette,
j'arrive à tout faire... écrire, aller sur Internet... regarder la télévision... Vous permet-
tez... que je vous appelle Éric ? Il acquiesce.
Elle revient avec le café. Il n'y a rien pour poser
la tasse, il garde la soucoupe dans la main et

n'ose réclamer du sucre. Tout de même, tout ce qu'on arrive à faire maintenant, dit le nouveau en montrant les équipements. Le mieux, ça aurait été... que je continue à ignorer... que ça existe, répond la tête implacablement. Silence douloureux. Elle dit, histoire de sortir du malaise : On a eu des aides, vous savez, sans cela on n'aurait pas pu. Mais la voix poursuit : J'ai été pompier... et sportif... Je faisais... du moto-cross. Et puis un jour... l'accident... Retombé droit comme un i... mais à l'envers... Sur le casque. Elle dit, faussement joyeuse : Mais on ne vous a pas fait venir pour vous raconter toutes nos salades. Tenez (elle désigne une enveloppe kraft posée au bord du lit). Tout est dedans, facture, extrait de comptes, on voit bien que la somme a été tirée. Vous allez vous en occuper, n'est-ce pas ? Yeux noirs, inquiets. Il esquisse une mimique affirmative qu'il veut assurée et professionnelle. Vous savez, dit la voix caverneuse, j'écris... Pour raconter cela... Elle ajoute fièrement : Et je ne l'aide jamais, il tient à tout faire tout seul. Il prend congé, promet de donner des nouvelles. Elle lui serre chaleureusement la main. Merci pour tout, Éric.

34

La course d'aujourd'hui est haletante. Il notera plus tard sur son carnet : départ assez rapide. Me suis fait doubler avant la gare par un gars qui courait vite. Cavalcade de pas derrière lui, puis, le coureur le doublant sans effort, des foulées incroyablement longues, un bonjour même pas essoufflé en le dépassant, taillé pour la course, le gars, pas épais, un peu dégarni et sans doute des années d'entraînement derrière lui. Puis les semelles qui s'éloignent rapidement, le virage et il disparaît. Lui ralentit un peu le rythme, comment font-ils ? Les trajets en voiture pour se rendre au boulot, même trente kilomètres matin et soir, ça use, et courir après devient vite fastidieux. Et puis le poids de la journée s'y ajoute, les oreilles sifflent encore longtemps après avoir retiré le casque, il roule autoradio éteint. La voiture rangée, il part courir avec seulement les bruits du dehors qui lui parviennent, une annonce de train sur les quais de la gare, un peu de circulation au rond-point, enfin le calme du canal, quelques oiseaux et, dans les trous du silence, les chocs réguliers des chaussures, claquements mats sur le goudron, crissement du gravier sur les trottoirs, chocs plus mous sur le sentier de halage, la respiration en métronome. Ainsi cadencée, la course devient une étrange sensation, un ensemble pourtant familier, chevilles, genoux, tendons qu'on devine bandés comme des élastiques. La douleur récurrente au côté droit à l'articulation de la cuisse et qui s'estompe au bout de l'échauffement, toute une mécanique, un corps, individu, unité, créature, personne ou quelqu'un, quelque chose d'aggloméré, de tangible, d'existant. Il repense à l'explication simpliste qu'un formateur avait délivrée un jour au sujet du travail : ça avait été le règne du pied pendant des millénaires, le travail agricole, l'homme chasseur, cueilleur, obligé d'arpenter, de se déplacer. Puis, pendant un siècle, c'était devenu le règne de la main, la révolution industrielle et le taylorisme, la répétition des gestes et les mains comme force de travail. Nous étions arrivés depuis quelques années à peine au règne du cerveau, aux sociétés de service et comment inventer de nouveaux besoins, moins palpables, pour le bonheur de l'huma-

144

nité. Cette théorie, comme toutes les interprétations trop évidentes, était destinée à provoquer l'adhésion à ce vaste système, une logique finalement, contenue dans l'évolution de l'homme. Mais en courant, il devine ses mains devenues trop blanches et trop molles, sa bouche devenue sèche à force de parler. Restent les pieds qui courent, et pourquoi, après tout, on ne leur restituerait pas leur force initiale. Aller à l'encontre de l'histoire, retourner à l'état d'homme sauvage, juste capable de poser un pied devant l'autre.

35

S ur l'article, sur une double page, on voit la
photo du directeur général devant un pupitre de conférencier qui porte le logo démesuré de
la boîte. Il agite une main décidée devant les deux
microphones, sa bouche est tordue par l'élan des
paroles. Mais il paraît presque petit, dans l'ombre
face à l'énorme slogan éclairé par une batterie de
projecteurs et qui occupe tout le fond d'une salle
grande comme un gymnase. On peut lire :

AU SERVICE DE NOS CLIENTS
ET DE NOS ACTIONNAIRES.

Puis sur la ligne du dessous, en caractères
larges :

ENCORE PLUS EFFICACES

L'adjectif est écrit en plus gros que le reste.
Et sur la dernière ligne :

ENCORE PLUS RÉACTIFS

Le dernier mot est formé de lettres aussi grandes que l'orateur.

À qui s'adresse ce slogan ? Qui l'a pensé ? Quel directeur, quel cerveau, non pas brumeux, mais au contraire brillant, ayant tout retenu des hautes études commerciales, théories, pratiques, circonvolutions ? Pour quelle promotion espérée ? Pour plaire à qui ? Clients, actionnaires. Mais on sait bien que c'est le mot « actionnaires » qui importe ici, « clients » est juste placé là parce qu'on n'a pas encore trouvé par quoi remplacer celui qui assure la trésorerie, celui à qui l'on dit bonjour d'une voix préenregistrée. Et pourquoi a-t-on mis les adjectifs en plus gros sur les lignes du dessous ? À qui s'adresse « efficaces » ? Qui doit être « plus réactifs » ? On imagine l'ensemble du personnel derrière ce slogan. D'abord, les pontes de la salle obscure, ceux qui sont heureux d'être parmi les élus, attentifs, communiants silencieux et qui attendent le moment de se retrouver ensemble après le speech directorial pour se dérider d'un sourire carnassier, la cravate ou le tailleur avantageux, se congratulant, une coupe de champagne dans une main, frôlant le directeur général, et lui, pas fier, se mêlant à la foule des promus, distribuant ci et là quelques saluts bonhommes, quelques plaisanteries rapides. Que du beau monde, donc, pas un seul fâcheux – on a pris soin d'éviter de les convier. Surtout pas le vieux chargé de mission, avait dit un directeur à un auditoire acquis et composé d'une secrétaire enamourée, d'un adjoint fayot et d'un jeune polytechnicien. Efficaces, oui nous le sommes. Réactifs, oui, nous le sommes. Et toujours prompts à saisir une carrière, une opportunité, un projet porteur. Réactifs et efficaces, alors, ce devait être pour les autres, les subalternes, les Elizabeth, Juliette, Isabelle, Simone, Claudia, Adriana, Vanessa, Paul, George, John, Ringo, Maryse, Robert, Roland, Éric, à ne pas pouvoir se souvenir de leurs prénoms tellement ils sont nombreux, indifférenciés, tous petits dans l'estomac du grand groupe.

Il repose l'article en soupirant. Mieux vaut encore aller courir, ce soir, après le travail. À la place de penser, remplacer la tête par la bouche, à la place de parler, remplacer la bouche par le souffle, laisser les poings serrés se détendre et tromper tout cet énervement en faisant fonctionner ses pieds.

36

Il chope le chef au moment où il pénètre dans son bureau. Je peux vous parler quelques minutes ? Le chef est surpris mais s'efface pour le laisser entrer. Totem en carton, cerises en papier, tête de gondole *Titanic* et ours gonflable en décor immuable, il refuse la chaise que propose le chef. Pas pour longtemps, dit-il en tendant l'enveloppe kraft. Il explique debout l'histoire du client dont on croyait qu'il n'avait pas payé mais en fait, si. Il montre la facture, l'extrait du relevé de compte qui indique que c'est bien la boîte qui a encaissé. Le chef soupire, fatigué. Depuis les événements, la direction l'appelle tous les jours pour savoir comment est l'ambiance dans son équipe. Et le nouveau, maintenant, qui se mêle de lui ajouter du travail. Tu as eu ça comment ? Il n'a pas prévu cette question et bredouille que ces clients sont des connaissances. L'autre soupire : T'es un compliqué, toi. Le tutoiement, ce n'est pas méchant, c'est manière de parler, de se sentir proche des gens, de montrer qu'on est du même monde. Et on sait bien que le chef est du même monde, ses emmerdes, son divorce, ses épaules tombantes, son visage glabre et ses paupières lasses, les cartes postales qu'il n'envoie plus. Pas le mauvais bougre, alors il peut tutoyer. Mais la boîte qui a érigé le tutoiement en règle de convivialité, on n'en veut plus. Combien d'entre nous se sont fait poignarder dans le dos par un chefaillon, un collègue envieux, un directeur matamore, trop heureux d'utiliser la règle du tu pour jouer au copain. De cela, il ne veut plus et systématiquement il vouvoie maintenant. Ça impose une distance, marque un respect, alors il insiste : Qu'est-ce que vous pouvez faire ? Ce n'est tout de même pas normal, ils ont payé, les clients. Le chef se laisse tomber dans son fauteuil et soupire : même allure que l'ours dégonflé posé à côté avec la mention Optimum sur le ventre. Il dit : Bon, ça va, je vais arranger ça.

37

R etour brutal aux mots sauvages : se défenestrer. Le verbe, l'action, l'infinitif, le
définitif, le mélange d'une terrible grammaire.
D'abord l'élan du pronom avant le verbe, pronom réfléchi, réflexif, adressé à soi-même, se
mordant la queue. Puis réfléchi au sens de
prudent, circonspect, pensé, imaginé, ordinaire,
déductible, rapidement devancé, doublé, débordé,
devenu extraordinaire. Enfin réfléchi comme
son propre visage reflété dans une vitre, qu'on
reconnaît à peine tant la douleur le déforme.
Comment en est-on arrivé là ? Vouloir traverser le miroir, transgresser, sauter, bondir,
passer, dépasser, outrepasser, trépasser. Esca-
lader, monter, grimper, enjamber, basculer,
sauter, descendre. Et les mains : tourner la poignée, manœuvrer la crémone, ouvrir les deux
battants ou basculer le châssis en rotation sur

pivot, grande moitié basse vers l'extérieur, petite moitié haute vers l'intérieur. Tellement de styles de fenêtres et le vocabulaire précis : voir les charnières métalliques sur le bâti dormant, remarquer le couvre-joint, le double vitrage, apercevoir une trace de peinture sur le bois, constater le lissé soyeux du PVC, dernières pensées, dernières constatations matérielles, à peine une seconde. Puis l'envol, d'autres lois physiques, la claque de l'air, la pesanteur, l'accélération. Derrière : les cris, la vague agitation, un hurlement que le souffle du vent atténue. Enfin le silence.

Se défenestrer devant ses collègues. Pronom irréfléchi, prénom annihilé pour qui les mots ont disparu, reste le « devant ses collègues », marqués à tout jamais « devant ». Comment vivre à nouveau ensemble, celui qui a vu hurler son voisin de bureau, celle qui a vu son responsable se précipiter trop tard et sa main qui se referme, crispée sur le vide ?

Après, les mots n'ont plus d'importance. Aucune importance, le directeur qui parle taux de suicides et qui affirme que ce n'est pas pire qu'ailleurs, le ministre qui suppute que le climat social est finalement assez apaisé. Mensonges en songes ou vérité hantée par ce qui se dit, s'échange, s'accélère, forme une actualité reprise, ressassée, journalistes, spécialistes, personnes auto-

risées, psychologues, sociologues, hommes de la
rue, ménagères de moins de cinquante ans,
minorités exclues, majorité incluse, citadins avi-
sés, provinciaux écartés, pékins moyens, la
boule des mots s'agglomère, enfle, grenouille
qui veut se faire aussi grosse que le bœuf, phrases éclatées, assassines, disséquées, reprises,
comparées. On lit des commentaires idiots, des
opinions tranchées, on rit parfois pour conjurer
sa peur.

38

– X (*nom de l'entreprise*), bonjour, Éric, que puis-je pour votre service ? (*préenregistré*)

– Bonjour, je vous téléphone pour vous dire quelque chose.

– Je vous écoute, monsieur/madame/mademoiselle. Pouvez-vous me donner vos nom/prénom ainsi que votre adresse numéro/nom de rue/ville ?

– Non, ce n'est pas nécessaire. C'est juste pour vous dire que j'ai travaillé chez vous jusqu'à ma retraite, voici douze ans. Alors je sais ce que c'est...

– ...

– C'était juste pour vous souhaiter bon courage avec tous ces événements.

– X (*nom de l'entreprise*), bonjour, Éric, que puis-je pour votre service ? (*préenregistré*)

– Bonjour, je vous téléphone pour vous dire quelque chose…

– Je vous écoute, monsieur/madame/mademoiselle.

– … que ce n'est pas étonnant avec toutes vos conneries, ce qui vous arrive. Vous devriez tous faire comme la vingtaine de vos collègues.

– X (*nom de l'entreprise*), bonjour, Éric, que puis-je pour votre service ? (*préenregistré*)

– Bonjour, je vous téléphone pour vous dire quelque chose…

– Je vous écoute, monsieur/madame/mademoiselle.

– Vous préférez sucer ou vous faire mettre ?

– X (*nom de l'entreprise*), bonjour, Éric, que puis-je pour votre service ? (*préenregistré*)

– Bonjour, je vous téléphone pour vous dire quelque chose…

– Je vous écoute, monsieur/madame/mademoiselle (voix méfiante).

– J'aimerais ouvrir un contrat Optimum confort.

– Oui, bien sûr ! (voix soulagée). Pouvez-vous me donner vos nom/prénom ainsi que votre adresse numéro/nom de rue/ville ?

39

Tu as vu ? Le planning a encore changé. C'est Maryse qui l'apostrophe dès son arrivée. Le planning, le planning, singe Robert, elle n'a que ce mot-là à la bouche. On voit bien que ce n'est pas toi qui termines quatre soirs de la semaine prochaine à vingt heures, réplique-t-elle. Véritable casse-tête chinois pour réussir à programmer la continuité de la hotline, le planning est élaboré en concertation avec tous les autres plateaux de France, qui se répartissent les samedis à tour de rôle, les plages horaires les moins favorables font l'objet d'âpres discussions. Dans les équipes, on a vite fait de savoir qui cela ne dérange pas de tenir une permanence jusqu'à vingt heures, quelle mère préfère le mercredi comme jour de relâche. Il y a des arrangements, des ententes, des prêtés pour des rendus. Le chef répartit les opérateurs sur une grille de présence, et, pour corser le tout, le nombre de personnes nécessaires est calculé en fonction du trafic téléphonique prévu. Chacun travaille trente-huit heures à temps complet, les semaines sont variables et les horaires décalés. Dans la mesure du possible, le chef essaie de regrouper les vacations de ceux qui habitent loin. Il regarde le nouveau planning sur son écran. Si tu veux, je peux te faire le mercredi et le jeudi de dix-huit à vingt heures et tu me rendras un après-midi de quatre heures, à ta convenance. Il n'y a plus qu'à faire valider cet échange par le chef dont les épaules s'affaissent un peu plus à l'annonce de cette nouvelle modification.

Plus tard, dans la journée, il reçoit un SMS : *Merci pour tout, c'est rétabli. Sachez que vous serez toujours le bienvenu chez nous.* Suivent les prénoms du frère et de la sœur. Il revoit la masse inerte dans le lit, la jupe à carreaux parcourant l'appartement à petits pas pressés, les vues d'Alger accrochées dans le couloir.

40

Il y a ces images qui ne veulent pas s'en aller : le profil d'une jeune femme sur une double page, la fenêtre d'où elle a sauté. Les mots aussi qui racontent sa vie, ses drames. D'habitude, il ne cautionne pas ce genre de déballage : l'emphase, la singulière affectation destinée à émouvoir le pèlerin, toute une fausse solennité pour faire vendre cette presse, les titres judicieusement choisis, les accroches à suspendre dans les kiosques, une quincaillerie de phrases et de photographies pour que s'arrête le passant, s'émeuve le lecteur potentiel et qu'à la fin il sorte son porte-monnaie pour emporter quelques-uns de ces hebdomadaires racoleurs.

Ils exagèrent, dirait Maryse. Il a besoin pourtant de cette grandiloquence un peu naïve, de ces hyperboles expéditives, des raccourcis ringards de la presse populaire. De nos jours, l'affliction de la mort, la désolation de la perte sont servies à toutes les sauces : il faut faire son deuil, dit-on, de toute chose, de toute modification de notre existence qui engendre une séparation. Changer de travail, de conjoint, de lieu de vie, de voiture : on consomme, on abandonne, on cherche toutes sortes de subterfuges pour effacer ces ersatz de deuil : Tu vas rebondir, dit-on à l'homme sans travail ; Tu vas oublier, à la femme délaissée ; Tu vas acheter un appartement... Une voiture... Toute une psychologie de rez-de-chaussée raconte que le manque est l'expression du désir, on le croit, on boit les paroles simplistes, on manque de n'importe quoi puisqu'on veut tout, on fait son deuil d'un rien. La déclamation, le pathos antique, la componction collective, la déploration du malheur à partager : tout ce qui était autrefois organisé, le chœur des suppliantes, l'unité des pleureuses se sont dissous, feraient presque sourire aujourd'hui. On croyait avoir enterré ces pratiques d'un autre âge depuis belle lurette. Il se souvient du type de son service qui avait été victime d'un accident vingt ans auparavant. On l'avait appris le lundi, les yeux rouges dans l'évitement du regard de l'autre. C'était une époque où les ordinateurs étaient rares, les contacts plus francs, on pouvait baisser la tête face à son voisin sans l'obstacle de la machine devant soi et chacun comprenait le chagrin. Dans la transparence des bulles de verre, chacun s'isole maintenant, perd son regard dans ces faux miroirs, cherche à se réchauffer en vain dans la blancheur froide des affichages plasma. La tragédie s'éparpille dans les pixels.

41

En arrivant dans la salle, il découvre un vieux bureau d'écolier et un tableau antique. Il y a des feuilles de vigne en plastique et des marrons en polystyrène éparpillés sur la table, quelques bouquins reliés par une sangle, des feuilles de cours rédigées à l'encre bleue, un petit cartable en cuir bleu marine à fermeture dorée. Une affiche est accrochée sur le tableau noir. Elle représente trois jeunes filles et un garçon marchant, l'air joyeux, dans une rue anonyme. L'une porte une gibecière de toile en bandoulière, une autre serre une pochette de cours entre ses bras croisés, la dernière a les deux mains dans les poches d'un manteau rayé aux épaules par les sangles d'un sac à dos. Le garçon lève très haut devant lui une feuille de cours. On devine les plaisanteries, les rires, une jeunesse étudiante. Le texte propose :

Optimum study : l'offre adaptée à vos études.

Les lettres imitent les cursives des lignes de cahier d'écolier. Les photographies de quelques marrons et d'une feuille de vigne égaient l'affiche, les mêmes qui sont disposés sur le vieux bureau. C'est quoi ? dit-il. Il remarque le titre du bouquin au sommet de la pile : *Techniques scientifiques du marketing stratégique*, 4ᵉ édition. Il saisit une des copies doubles rédigées à l'encre bleue d'une écriture ronde. Ce sont des notes : *la motivation est un état psychologique de tension qui conduit à agir ; connaître la personnalité d'un individu permet d'anticiper son comportement ; flatter les gens est une façon classique de les influencer...* Maryse interrompt sa lecture : C'est la chargée de marketing qui a tout apporté. Il paraît que ce sont ses propres cours quand elle était encore étudiante. Elle doit nous parler tout à l'heure en réunion d'équipe de l'offre spéciale qu'on va proposer pour la rentrée universitaire.

— Les cours et les bouquins, c'est à vous ?
Tout le monde se retourne. C'est Roland qui a posé la question du fond de la pièce.
Elle répond fièrement :
— Parfaitement, j'ai un master en intelligence marketing obtenu dans un institut de gestion des organisations. Je n'ai eu que l'embarras du

choix pour les livres, j'en ai plein les placards de mon appartement. Mais ça commence déjà à dater : je suis sortie de la vie étudiante depuis cinq ans.

— Le cartable, c'est le vôtre ?

— Oui... Ma sœur aînée me l'a offert quand je suis entrée à l'école de commerce (elle semble étonnée de raconter si facilement une part intime de sa vie).

— Le vieux bureau et le tableau, ça vient d'où ?

— De chez moi, dit la chargée de marketing. Un ami me les a prêtés pour l'occasion, ils sont beaux, n'est-ce pas ?

— Ça n'a pas dû être facile de les transporter, enchaîne le chauve.

— Euh, j'ai demandé de l'aide et heureusement il y a l'ascenseur, répond-elle, un peu surprise qu'on prête intérêt à sa personne plutôt qu'à l'offre Optimum study dont elle vient de terminer la présentation.

— C'est quoi comme bois ? Du chêne ?

— Je ne sais pas, sans doute... (elle est vaguement embarrassée).

— Les feuilles de vigne et les marrons, pourquoi ne pas en avoir apporté des vrais ? C'est l'époque, on en trouve partout.

— Je ne sais pas non plus... Question d'hygiène, peut-être... (elle est de plus en plus gênée).

Robert s'en prend à Roland :

— Mais tu ne vois pas que tu ennuies la petite dame ? D'habitude, tu es plutôt du genre muet comme une carpe.

— Et puis les feuilles et les marrons, c'était dans le package de communication, reprend la chargée de marketing.

— Ah oui, le package, fait Roland. Du tout cuit : du prêt-à-avaler pour nous et pour nos clients.

Pas de réponse.

— Toutes ces salades pour faire vendre...

Geste désabusé. Roland le chauve, le taciturne à tête de mappemonde est curieusement cramoisi. Elle remballe ses affaires vite fait, la chargée de marketing.

— On est tous complices, dit-il encore.

La porte se referme derrière elle précipitamment. On entend un sanglot dans le couloir. Silence dans la salle, les regards traînent sur les tables, regardent le sol, fixent le vide. Le chef ne dit rien, comme d'habitude.

— Mais qu'est-ce qui t'a pris ? intervient Maryse.

— On est tous complices, tous...

Sa tête dodeline maintenant comme un globe terrestre près de tomber des épaules d'Atlas. Robert, livide, quitte la salle le premier sans rien dire. On se lève. Une des jeunes femmes tente une plaisanterie avant de partir : Eh bien, si elle veut me donner son petit cartable en cuir, je suis preneuse. Mais la phrase tombe à plat. Chacun s'en va sans dire un mot. Roland reste assis, comme déboussolé, la mâchoire serrée et les yeux rivés à la table devant lui. Le chef entreprend de débrancher le vidéoprojecteur qui affiche encore sur l'écran la dernière diapositive de la chargée de marketing : Merci de votre attention.

42

Il rêve qu'il vole. C'est un rêve habituel. Qui ne l'a jamais fait dans l'inconscience du sommeil ? On écarte les bras, on fait des bonds gigantesques, on se soustrait à la pesanteur. La sensation est infinie, délicieuse. À l'intérieur des maisons, on s'accroche aux lustres, on grimpe d'un saut sur une mezzanine, on reste collé au plafond comme une baudruche remplie d'hélium. À l'extérieur, c'est plus libre encore, plus fantastique. À peine une concentration et les pieds décollent sous les yeux ébahis des spectateurs. Il y a toujours des témoins, amis, voisins. L'étonnement est de mise, la surprise. On montre comme c'est facile, naturel, l'évidence du pouvoir extraordinaire ne nous surprend pas. On est chanceux parmi les veinards, choisi parmi les élus, glorieux avec surnaturel. On s'envoie en l'air, on vole de nos propres ailes invisibles. On s'accroche à une gouttière, on prend le temps de détailler les tuiles, la peinture du bandeau qui s'écaille. On grimpe sur la cheminée. Le chapeau en terre cuite est chaud sous le soleil, on le caresse. Dessous, les amis, les voisins nous font signe. On agite la main, l'autre est accrochée au mat de l'antenne. Et puis on lâche tout, on s'élance sur la pente du toit jusqu'au bord, on bondit, saut de l'ange, et à nouveau la sensation d'aucun poids, le vent qui glisse sous le corps, le tronc qui s'incurve, les pieds étendus. On vise les arbres habituels, peupliers du canal, cerisiers du jardin, platanes du parc. On s'élève encore, à la cime d'un tremble, sur la branche la plus haute d'un chêne immense, on tutoie quelques oiseaux, on regarde dans les nids au milieu des feuillages. Les voisins sont toujours là qui vous regardeι.t d'en bas, points minuscules agités au-delà de la route, du canal, des jardins, du parc. Généralement, on reste à proximité de la ville, on regarde le plancher des vaches, on s'amuse à redescendre, les pieds s'enfoncent dans le sol comme dans du coton. Puis on bondit à nouveau : comme c'est facile ! Parfois, dans certains songes, un ami vous rejoint, étonné de la simplicité qu'il y a à apprendre à voler. Pourquoi n'y a-t-on pas pensé avant ? Alors le rêve se prolonge, on vogue tous deux vers le blanc des nuages, la ouate étonnante du ciel, un pays de brise et de rien, tellement léger. Quelques points dans un pré, voici des chevaux, des canards à côté d'un étang, semblables à des figurines de ferme d'enfant. Le camaïeu des champs, le moutonnement des forêts, le tracé des routes, tout est perçu avec acuité et bonheur.

Des camions passent sur un viaduc, contournent une voiture arrêtée en plein milieu, portière ouverte, habitacle vide. Mais c'est maintenant un cauchemar, c'est un matin bien réel et on n'apprend à voler que dans les rêves.

43

Déjà pour les autres il y avait eu ces rassemblements spontanés. La télé avait montré le contraste entre les visages graves et fermés des collègues et la lumière paisible d'un début d'automne. On voyait le logo de l'entreprise derrière eux, toute une communication réfléchie, des couleurs normées, une ambiance internationale et mégalomaniaque. Alors pour la nouvelle victime du viaduc, on organise une minute de silence, dit la déléguée syndicale. Ça aura lieu à midi, dans la cour. Maryse répond : Oui, mais nous on a la cantine, et si on n'arrive pas assez tôt il faut faire la queue, manger avec un lance-pierres et risquer d'arriver en retard à la reprise. Aussi, un peu avant midi, la petite équipe traverse l'esplanade pour rejoindre le lieu du repas. Les délégués sont déjà là. Il y a celle qui est passée tout à l'heure, le petit gros de l'étage du dessous, quelques autres qu'on connaît de vue. Certains ont des badges de leurs syndicats et des tracts en main. Un grand fort tient un porte-voix dans une main et dans l'autre une feuille. Il regarde sa montre. Plus qu'une ou deux minutes, et il est facile de deviner qu'à l'heure dite une voix nasillarde, déformée par l'appareil, se fera entendre, se répercutera sur les murs du bâtiment, faisant s'envoler les pigeons. Facile aussi de deviner quelle sera la teneur du discours. En l'honneur de... à la mémoire de... notre collègue... Comme partout en France à la même heure : Réclamer des actes... que cela cesse...

La petite équipe, Maryse, Robert, Roland et le nouveau passent sans s'arrêter devant le maigre rassemblement. Allez quoi, ne nous laissez pas tout seuls ! proteste la déléguée. Le nouveau hésite un instant, ralentit, voudrait bien... Mais les autres ont accéléré le pas. Il jette un dernier regard, tente un sourire stupide et monte quatre à quatre les marches qui mènent à la cantine. Tout l'après-midi, il regrette son geste. Il n'aime pas le mot « solidarité », tant dévoyé au profit de n'importe quelle cause, mais là, oui, il sent qu'il aurait fallu se rendre solidaire, en accord avec le choc qu'il a reçu, comme tous, à l'annonce de ce nouveau drame. Mais il a passé son chemin pour ne pas se désolidariser, justement, du reste de l'équipe. Solidarité : foutu mot, sauf s'il rime avec fraternité, causalité, réciprocité, communauté, complicité, affinité, simplicité.

44

Il arrive dans la ville d'à côté, retrouve facilement l'itinéraire qui mène au quartier d'immeubles identiques. Voici les petits jardins aux jeux déglingués, les arbres faméliques. Peu de passants sur les trottoirs, çà et là quelques ménagères en tenue orientale, portant des cabas, une paire de jeunes gens assis sur un muret, occupés par le néant. Sur les parkings, des voitures fatiguées. Il n'a pas prévenu. L'idée lui est venue en sortant du travail ; au lieu de prendre la direction de son domicile à la rocade, il a obliqué sur un coup de tête, sans savoir pourquoi. Lui reviennent en mémoire les mots du message : Vous serez toujours le bienvenu. Il s'arrête devant un petit centre commercial. Tabac-journaux. Boucherie halal, une superette à devanture poussiéreuse. Il cherche des fleurs, un bouquet, quelque chose à offrir.

Il le dit à l'homme qui tient le tabac-journaux. Non, rien dans le coin, à la superette peut-être ? En sortant, il remarque les périodiques : le logo de la boîte sur l'un d'eux et le titre : « Souffrances en direct ». Sur un autre, la photo du directeur et la mention : « Comprendre les failles humaines ». À la superette, il trouve un cactus incongru au rayon fruits et légumes. Mieux que rien.

L'appréhension d'abord de ne trouver personne. Il est tard, on devine les couleurs orangées du crépuscule au-delà des barres d'immeubles. Il aurait dû prévenir, peut-être sont-ils partis. Mais où pourrait bien aller un paralytique ? grommelle-t-il entre ses dents. Il sonne et, longtemps après, la voix inquiète de la sœur demande qui c'est. Il reste un instant interdit avant de répondre. Éric ! dit la voix enthousiaste, je vous ouvre. Éric, son double, son frère jumeau, identité qui n'existe que pour deux êtres au monde sans doute aussi isolés que lui. À nouveau le large sourire, les cheveux frisés ; la jupe à carreaux est remplacée par un pantalon de toile. Il va être si content ! Le couloir, les photographies d'Alger, le temps d'arrêt devant la porte large et le papier peint toujours à refaire autour. L'expression « être en pays de connaissance » et son corollaire, « se sentir bien ». Pendant qu'elle passe la tête (et toujours cette étrange pose d'échassier, une jambe restant soulevée dans le couloir, le restant du corps disparu dans l'embrasure), il a la sensation d'être heureux, utile : Éric est un type bien.

La visite dans la chambre est un enchantement, c'est le premier mot qui lui viendra à l'esprit par la suite quand il s'en souviendra. Étrange sensation dans une chambre à lit médicalisé, avec cette masse inerte, ce type qui mesurait pas loin de deux mètres quand il était valide. Enchantement, ce n'est pas si exagéré, au sens de ravissement, être enlevé, ravi ou encore enchanté comme charmé, ému, des sentiments frais, purs, quelque chose qui tranche avec l'ambiance actuelle, délétère, tous ces événements tragiques. Enchantées, ces trois personnes dans une chambre où le malheur s'est glissé mais qui font avec, comme on dit. Le coup de baguette magique d'une fée espiègle les avait transportés dans un monde qui ne ressemblait pourtant pas au bonheur : statue de chair pour l'un, statut d'opérateur pour l'autre, et une Alice aux cheveux frisés, délestée du pays des merveilles. Et pourtant, oui, il garderait ce souvenir comme une aubaine, veine, chance d'avoir vécu ce moment. Et impossible d'en parler autour sans risquer qu'on n'y comprenne rien ou qu'un imbécile n'y voie qu'une sauce dégoulinante de bons sentiments. Et alors ?

En attendant, dans l'instant de la chambre, c'est le frangin qui tient le crachoir de sa voix essoufflée. Oui, il a appris par la télé, la radio, toute cette actualité, jusqu'à cet employé qui a sauté d'un viaduc. C'est lui, le type immobile, qui remonte le moral à celui qui peut partir courir pour fuir, prendre ses jambes à son cou. La sœur acquiesce, propose du café. Il y a un moment amusant quand il offre le cactus avec un air désolé : Tout ce que j'ai pu trouver. Merci de ne pas le laisser sur le lit en sortant, même si je ne sens pas les piqûres, dit le frangin avec un clin d'œil. Il décline l'invitation à dîner, la famille va s'inquiéter. Au moment de repartir, elle le remercie chaleureusement, ils discutent un peu dans le couloir, devant les vues d'Alger. Elle travaille comme secrétaire à la maison des jeunes, c'est à côté et c'est plus facile pour s'occuper de lui. Les parents sont repartis au pays. Avec les économies faites ici, le père a monté un commerce, ils sont très occupés mais peut-être viendront-ils bientôt. Sur le pas de la porte, il fait encore un signe de la main, promet de revenir. Le costume d'Éric rejoint la penderie.

45

Courir, donc : prendre ses jambes à son coup, piétiner, piaffer, trépigner, talonner, fouler, se défouler, dérouler, galoper, cavaler, trotter, trottiner, tricoter, bondir, sauter, accélérer, décamper, déguerpir, fuir, déloger, détaler. Cours, cours, le vieux monde est derrière toi, disait un slogan en 68. Mais on n'avait pas su garder l'élan. Les élus arrivés au pouvoir avaient voulu tordre le cou une bonne fois pour toutes aux idées ringardes, saugrenues, irréalistes. Toutes ces conneries d'amour, d'épanouissement collectif, quelles sottises ! On avait laissé faire, faute d'imagination. En guise de monde nouveau, une lente brume épaisse et froide, permanente nous avait recouverts, et rien à voir avec l'orage qui se prépare aujourd'hui, alors qu'il est parti courir. Il l'aperçoit alors qu'il fait demi-tour. Des nuages lourds et noirs comme de l'encre raclent les toits. Jusque-là la ligne d'horizon était claire et d'un coup, quand il fait volte-face pour revenir, le souffle d'un grain qui se prépare l'atteint en plein visage, presque froid. Il faudrait accélérer mais les bourrasques freinent, le canal se ride, la poussière du chemin de halage tourbillonne. Le calme avant la tempête et tout se mélange : symbole de cette course à pied avant que se déchaîne l'orage. Cours, cours, le vieux monde derrière toi. Ce n'est pas un hasard si la plupart des victimes ont plus de cinquante ans. Leur éthique s'est forgée sur les idées d'alors : construire un monde meilleur, égalitaire, collectif. Les plus jeunes, qui n'ont connu que l'individualisme forcené, résistent mieux, il le voit tous les jours dans son travail : des besoins personnels à satisfaire, l'espoir d'un emploi stable, la bulle d'une famille à retrouver chaque soir et la télé comme ouverture quotidienne sur le monde. Pour eux, c'est plus facile de vendre du n'importe quoi à n'importe qui. Qui, dans cette descendance des trentenaires, songe à remettre en cause une seule minute d'une publicité, même quasi mensongère ? Ils ont avalé la société de consommation dès leur plus jeune âge. Bouchée par bouchée, la génération à qui il appartient leur a donné à la becquée tout ce qu'elle a dénoncé en son temps. Ça s'est passé presque à l'insu d'eux-mêmes, les quinquagénaires englués dans la peur permanente depuis les crises récurrentes. Sauver sa peau d'abord et, comme récompense, comme seul bonheur contre l'angoisse : acheter, bouffer, engloutir, n'exister que par cette boulimie commerciale. Les renoncements aux utopies n'avaient pas été faciles pour tous. Par lassitude sans doute, certains s'étaient laissés aller, incompris, délaissés, grands perdants d'une bataille qui n'avait jamais eu lieu. Les rêves d'héroïsme avaient avorté dans l'œuf pour toute une population qui était la première à avoir grandi sans l'ombre d'une guerre et qui n'avait cessé de dénoncer toutes celles des autres, sans savoir que la guerre économique aurait raison d'eux. À cinquante ans, époque des remises en question : tout ce qu'on n'avait jamais pu faire, les rêves qu'on ne réaliserait jamais, et cette étrange impression de n'avoir jamais eu une seule minute de repos, élever ses enfants, tendre le dos en attendant la paie les derniers jours de chaque mois. On espérait un peu de calme, pourquoi pas une préretraite : les exemples ne manquaient pas dans l'entourage et pourquoi pas moi ? Au lieu de cela : changer d'emploi. C'est mieux pour toi. Toutes ces paroles. Se laisser aller. Les mains ramollies, le dos voûté. Abandonner. Du temps pour s'occuper de soi, de sa petite famille. C'est tellement mieux. Pas compliqué, le travail. Pas salissant. Tellement plus sûr. Certains paieraient cher pour être à ta place, veinard. N'avoir jamais connu la guerre, chanceux, va. Regarde tes enfants comme ils sont satisfaits, heureux. Tu peux profiter de la vie, regarder prospérer la lignée que tu as créée. Plus aucun souci, c'est que du bonheur. Juste répondre : Vous êtes bien monsieur/madame/mademoiselle X ? Pas compliqué, pas fatigant. Que du bonheur.

L'orage éclate à quelques centaines de mètres de la maison. Des trombes d'eau balayent en rideau la chaussée. Le canal semble mousser sous les crépitements. Il se réfugie sous le pont du chemin de fer, le tee-shirt lui colle à la peau. Se laver, effacer toute cette glue des jours.

46

L'épingle médiatique pique les côtes de tout un chacun. C'est l'homme de la rue qui s'énerve : Alors quoi, il y en a toujours eu, des suicides ! C'est la ménagère effarouchée qui plaint les victimes. C'est l'opinion publique qui s'exprime en privé : Ils n'ont qu'à travailler plus, ils n'ont qu'à faire grève, c'est des héros, c'est des fainéants (rayer les mentions inutiles selon votre sensibilité). C'est devenu un problème sociétal. On ne parle plus que de cela. On aimerait rentrer dans un trou de souris. C'est la honte, lance Maryse, dépitée, mèche blonde plus désappointée que jamais en bas de ses yeux, piquée au vif par l'épingle médiatique.

La mère demande : Tu ne vas pas faire une connerie, toi, au moins ? Il dit que non. C'est vrai, tout ce qu'on raconte à la télé ? Il dit que oui. La photo du père et son sourire timide, le cadre en cérusé bleu, effet vieilli, décor marine, la boutique de Saint-Malo. Qu'est-ce que tu vas rapporter à ta mère ? Des images lui traversent la tête : un petit port, des maisons alignées, des murs blancs avec des moellons de silex, des toits d'ardoise, le doux balancier des voiliers, le tintement incessant des filins sur les mâts. Elle et son hâle d'été, la couleur pain d'épices du bonheur, légère dans la promenade du soir, faire semblant de courser les gamins, leurs gaietés. En fait, il ne se passe rien dans la vie : on traverse des paysages, des cartes postales. Bons baisers à bientôt : ce serait tout ce qu'on pourrait résumer avant l'effacement final. Ce ne sont pas des paroles dures, ni un constat sévère, aucune déprime, au contraire : juste l'idée que ces moments ont été parmi les meilleurs, les plus purs. Alors on comprend que certains se laissent aller parce qu'un chefaillon leur a crié dessus, parce qu'un client de plus les a insultés. Il a parfois eu de ces drôles de pensées : c'est au moment où l'on est le plus heureux qu'il faudrait disparaître, l'accident d'avion au retour d'une plage paradisiaque, le train qui déraille, toute la famille emportée par le naufrage d'un ferry ou la voiture qui s'encastre dans la pile d'un pont, presque par inadvertance. Est-on un monstre si l'on pense parfois à cela ? Certains s'offusquent de ceux qui ont choisi de disparaître en laissant leurs proches à une douleur inimaginable. Il n'y a pas de risques psychosociaux, il n'y a que des actes individuels, définitifs. Les euphémismes actuels pour tenter d'expliquer comment on en arrive là éloignent une réalité pourtant simple : j'ai été heureux, j'ai goûté au bonheur, j'ai aimé, j'ai été quelqu'un. Le passé composé a fait place à un présent désagrégé, corrompu, définitivement gâté. Que personne ne vienne dire qu'il ne savait pas ce qu'il faisait en utilisant envers autrui l'irrespect, la grossièreté, l'insolence, les mauvais sentiments, que ce soit de sa propre initiative ou caché derrière le troupeau de moutons d'une organisation ou d'une entreprise. Il faudrait faire machine arrière, vivre, sourire. Il lui a pris la main : Tu sais, maman, j'ai rencontré des gens formidables : lui est paralysé et sa sœur s'occupe de lui. – Pourquoi me racontes-tu cela ? Elle retire sa main et reprend sa tasse de café vide. En vieillissant, ses yeux deviennent de plus en plus gris.

47

Le petit brun moustachu est revenu dans le bureau du chef. Poches sous les yeux, costume en velours lisse, totem en carton, cerises en papier, tête de gondole en *Titanic* et ours gonflable, en attendant que des marrons en polystyrène et des feuilles de vigne en plastique ne viennent ajouter à l'encombrement. Décorum pour produit Optimum et c'est justement pour faire les comptes qu'il est là. Ça ne s'arrange pas pour le nouveau : toujours en retard sur l'offre Confort, presque pas de placements sur Optimum plus, quant au nouveau produit Study, il fait baisser la moyenne de l'équipe. Remettez-moi où j'étais ! explose-t-il, je n'ai pas demandé à venir ici. Son poing blanchâtre et mou est retombé sur le bureau sans même un bruit. Le petit brun fait : Ho, ho, moi ce que j'en dis...

48

Les pompiers finissent d'éteindre l'incendie de la voiture. Il ne reste que la carcasse métallique, les portières sont béantes. Le crâne a explosé comme une pastèque, dit le médecin, une jeune femme blonde tirée à quatre épingles. On voit une forme calcinée sur le siège du conducteur. Il y a des témoins ? Le policier en civil, un grand baraqué, lance la question à la cantonade. Allez, on l'emmène, ajoute-t-il sans qu'on sache si c'est de la victime qu'il parle ou de quelqu'un qui s'est manifesté. Puis la scène s'éloigne petit à petit du lieu de l'accident pour finir comme vue d'un hélicoptère avec le tas fumant, les lances d'incendie déroulées, des gyrophares et des policiers qui balisent l'endroit à l'aide de rubans jaunes.

Nous voilà maintenant dans la salle d'autopsie : le cadavre est sur une table métallique, une masse noirâtre dans laquelle on reconnaît la forme de la tête auparavant renversée contre ce qui restait du siège automobile, la mâchoire ouverte et figée dans un rictus, quelques cheveux collés. Il était déjà mort, lance la blonde en extirpant une balle cuivrée à l'aide d'une pince au bon milieu du crâne informe. Le grand baraqué conclut : Alors c'est un crime ! Après, le feuilleton américain déroule son scénario. C'est toute une équipe qui apparaît autour de la blonde doctoresse et du monsieur Muscles. Il y a le flic ombrageux, perdu dans ses problèmes personnels, le chef sympathique mais bourru, la biologiste sentimentale, sans compter l'employé original dont les mésaventures font toujours rire. On avance dans une intrigue cousue de fil blanc. L'emploi du temps de la victime est passé au crible, des témoins resurgissent. On interroge, on impressionne. Il y a le moment incontournable de la course-poursuite où le malfrat parvient à s'échapper. Bref, on piétine mais on revient systématiquement à la salle d'autopsie où le cadavre demeure inlassablement sur sa table métallique au milieu d'une armada de microscopes et d'appareils sophistiqués. Combien la vie est misérable, presque risible, à travers cette carcasse brunâtre dont les membres restent figés en l'air, tordus comme les moignons d'un poulet qu'on aurait oublié au four. Autrefois, on appelait cela un film d'horreur. Il y a trente ans, lors de la sortie de *L'Exorciste*, des spectateurs s'évanouissaient, on avait même installé des postes de secours dans certains cinémas. La fillette possédée du démon et qui tournait trois fois la tête en roulant des yeux fous a été remplacée par la tête décomposée d'un trépassé indiscernable, un asticot blanchâtre et démesuré s'échappant immanquablement d'une des orbites. Déconseillé aux moins de dix ans. Généralement, c'est au moment de l'asticot que l'employé original choisit de vomir dans la poubelle du laboratoire. Éclat de rire général, donc, des téléspectateurs d'au-delà de dix ans.

C'est à mettre en regard de la gravité cachée qui arrive dans la vraie vie. Tout est contenu dans les drames qui défraient l'actualité, ce qui se dissimule dans les mots « fenêtre » ou « viaduc ». Les minutes de silence vécues, les photographies à la une des journaux qui montrent une foule recueillie, et rien, pas la moindre allusion aux victimes, à peine leur prénom cité parfois dans les articles, on invoque le respect de la mort pour ceux que l'irrespect de la vie a précipités dans l'au-delà.

Dans les feuilletons américains, les rapports au travail sont toujours francs et clairs. On se fait des blagues de collégiens, on s'engueule dans des froncements de sourcils incroyables. Le fourbe ou l'espion maléfique est démasqué avant la fin de l'épisode. Le flic ombrageux, perdu dans ses problèmes personnels, est renvoyé chez lui par le chef sympathique mais bourru : Allez, prends ta journée. Les journées sont longues, la biologiste sentimentale est occupée, investie d'une tâche essentielle dont elle perçoit de suite l'importance. Même l'employé original sait demeurer sérieux. L'équipe se retrouve le soir autour d'un verre.

C'est à mettre en regard de notre propre perception du travail. Ce qu'on nous tait, les objectifs pas clairs, les magouilles carriéristes. Des problèmes traînent en longueur. Des remarques acides émaillent le quotidien : Ho, ho, moi ce que j'en dis... On plaisante, bien sûr, on a l'esprit d'équipe, mais on se sépare le soir avec la peur au ventre : Qu'est-ce qu'on va nous annoncer encore à la télévision ? Faut-il équiper la voiture d'une alarme ? Dénoncer le sans-papiers en bas de chez soi ? Le trou de la couche d'ozone s'est-il encore élargi ? Pourquoi faut-il chaque matin se lever ?

Dans l'insomnie, il se repasse les scènes du feuilleton de la veille. Y a-t-il une relation, d'un côté, entre l'exposition criarde, manifeste, voulue de la mort et l'entente sereine d'une équipe au boulot ? Ou, de l'autre côté, entre une mort honteuse et presque niée et ce qu'il vit au quotidien, que les journaux titrent comme une souffrance au travail ? Il doit y avoir une explication. Des sociologues, des psychanalystes, des philosophes ont dû étudier cette mode récente des médecins légistes dans les feuilletons. Peut-être s'agit-il de montrer combien nous sommes fragiles, de ne pas nous cacher la vérité mortelle, de vaincre nos peurs et de nous obliger à accepter notre propre disparition individuelle et, du même coup, notre renaissance dans le vaste magma collectif. À moins que ce voyeurisme de la mort montre seulement la sauvagerie et la perversité des rapports humains. Peut-être valoriser son propre corps en le découpant en actions à vendre est-il la seule manière qui reste à l'homme libéral pour atteindre la postérité. Enfin rompre l'identité du corps. Le dépecer sur une table métallique. Un employé heureux est plus performant, un salarié malheureux ne crée pas de valeur : phrases réelles, publiées lors des tristes événements, autant de preuves d'un totalitarisme entièrement dévoué au profit, corps et âme.

49

Forcément, avec toutes les idées originales qui ont traversé son insomnie, il a eu du mal à se rendormir et n'a pas entendu le réveil. Il prévient en catastrophe le chef de son retard. Pas la peine de foncer sur la route pour autant, dit la voix atone. Il imagine un instant, à l'autre bout du fil, les épaules tombantes, la résignation habituelle.

Voici donc le trajet du matin, trente kilomètres. Dans son retard, l'heure de pointe est passée et il devrait aller un peu plus vite que d'habitude. Depuis son affectation, il a fallu s'imposer un rythme nouveau et prévoir quarante-cinq minutes avec les encombrements, un peu moins si c'est plus tard dans la journée ou les samedis travaillés. Pour le retour, c'est pareil. Cela fait une heure trente de perdue dans les transports alors qu'auparavant ce temps ne dépassait pas quelques minutes. On ne se rend pas compte quand on habite dans la ville même où l'on travaille. La voiture accuse déjà un nombre impressionnant de kilomètres et la maigre prime obtenue de longue lutte en compensation sera bientôt dissoute dans les pleins de carburant. Autrefois, lorsque les enfants étaient petits, c'était un bonheur de pouvoir les déposer à l'école, parfois les récupérer. La proximité le permettait. Maintenant, les seuls contacts avec la ville sont constitués de rencontres disparates, comme le collègue aperçu en courant ou la boulangère du dimanche matin. Sa mère lui parle du fils de la marchande de journaux qui s'évertue à lui donner le bonjour, mais quel sens ça a ? La cantine du midi avec Maryse, Robert et Roland est le seul lien d'une vie physiologiquement déportée. Sa femme lui parle du nouvel interne de l'hôpital, un type qu'il ne rencontrera jamais, il répond par une anecdote avec Maryse, sa collègue qu'elle ne verra pas davantage. Les enfants téléphonent aussi le weekend, reviennent parfois, et c'est une succession d'histoires d'étudiants et de profs, ponctuées par des « Tu te rends compte ! » auxquels il hoche la tête sans savoir. C'est le lot de beaucoup, pas à se plaindre, tous ont un travail ou suivent des études : on lui rabâche son bonheur chaque jour. Mais lui se raccroche aux joies simples qui auraient pu continuer encore un peu si la boîte n'avait pas été si pressée de bazarder son service : habiter et travailler dans la même ville, pouvoir rentrer chez soi à midi, échanger des paroles avec qui on aime, se tenir au courant de la vie d'ici, répondre au bonjour du fils de la marchande de journaux. Côtoyer chaque pierre, chaque grain de macadam qui le relie au lieu qu'il a choisi. Se souvenir de l'endroit où la fille avait perdu sa première dent de lait (c'était sur le trajet de l'école, il avait remué chaque brin d'herbe en vain pour la retrouver et la fille désespérée qui pleurait parce qu'elle s'imaginait que la petite souris ne pourrait pas passer). Toute cette tendresse des lieux habituels, est-ce si incompréhensible ?

Quand il arrive sur le plateau, c'est un branle-bas de combat mais qui n'a rien à voir avec son retard : on annonce pour demain la venue du directeur général.

50

L a veille, dans l'après-midi déjà, quelques-uns qu'on ne connaissait pas étaient venus sur le plateau. Ils restaient sur le seuil, comme impressionnés par l'immense salle. Robert avait fait signe au nouveau qui tournait le dos à la porte. En se retournant, casque sur les oreilles, tout en poursuivant sa conversation avec un client, il avait eu le temps de voir un grand gars en costume qui faisait des signes et chuchotait avec un autre en bleu de travail resté à moitié dans le couloir. C'est le directeur des bâtiments, avait-il dit un peu plus tard, juste avant d'enchaîner un « X (*nom de l'entreprise*), bonjour, Robert, que puis-je pour votre service ? ».

Mais c'est le lendemain qu'on remarque vraiment la différence. Quand le nouveau arrive sur le parking, il n'y a déjà plus de place et il n'a plus qu'à faire demi-tour. Une grande partie des emplacements ont été interdits aux véhicules par une chaîne en plastique qui en barre l'accès, avec des écriteaux sommaires pendus çà et là qui indiquent Réservé Visite Directeur. Tout en maugréant contre le parcmètre à payer dans la rue, il remarque que les amoncellements de cartons qui traînaient dans l'entrée depuis des lustres ont disparu. Dans l'ascenseur, l'ampoule grillée a été remplacée (Ça fait intime, ambiance boîte de nuit, vous dansez, mademoiselle ? soulignait invariablement Robert à chaque fois qu'une jeune opératrice prenait l'ascenseur avec eux). Le linoléum des couloirs, traité haute résistance, mais que trente ans de passages avaient fini par tacher et ternir, ressemble à un miroir. Une femme de ménage s'essuie le front en soufflant et en remballant le câble électrique d'une impressionnante cireuse industrielle. Mais c'est la vaste salle du plateau qui est le plus changée. Évaporées les tables disparates, récupérées un peu partout et où s'entassait la documentation nécessaire au travail. À la place, un dédale de paravents flambant neufs et quelques plantes vertes ont été installés. Le tableau noir, le bureau ancien avec les marrons et les feuilles ont également disparu. Une affiche neuve de l'offre Optimum study, impeccablement encadrée, est accrochée à côté de l'entrée, là où se trouvait jusqu'à hier le calendrier des artistes peintres de la bouche et du pied. Dans un coin, le tableau qui supportait les cartes postales envoyées par les vacanciers du service a été décroché et le rouleau de nappe de papier à motifs de sapins et de guirlandes qui avait servi à l'anniversaire de Maryse a été retiré. En s'asseyant à sa place, il dit que ça sent la peinture. Maryse bougonne : C'est juste au-dessus de nos têtes. La dalle moisie par les infiltrations a été recouverte d'une couche de blanc mat. Et dire qu'on réclamait ça depuis des lustres, ajoute-t-elle en embrassant du regard les paravents et la décoration. – Pareil pour les cartons de l'entrée, c'était noté dans le cahier Hygiène et Sécurité, précise Robert. – Et Roland, il n'est pas là ? Robert prend un air entendu et chuchote : Il n'a pas voulu assister à cette mascarade. Officiellement, il est malade. Le chef arbore une cravate inhabituelle et défraîchie, un air plus las que d'habitude. Maryse : Il ne peut même pas se réfugier dans son bureau : on y a entassé tout ce qui a été enlevé d'ici, on peut à peine ouvrir la porte.

Dès le début de l'après-midi, les appels sont moins nombreux. Les chiffres de la file d'attente de l'afficheur demeurent singulièrement bas. Il se passe parfois cinq ou six minutes avant que l'un d'entre eux soit sollicité de nouveau. On a plus délesté que d'habitude sur les autres plateaux. C'est pour faciliter le dialogue avec le directeur général, précise le chef. Maryse et Robert échangent à voix basse : Tu parles, c'est pour donner l'impression qu'on travaille dans une ambiance sereine et peu bruyante. Des invités commencent à arriver. On entend des conversations dans le couloir qui s'éteignent dès que l'un d'eux entre sur le plateau. Le chef s'est installé à la place de Roland avec ses feuilles et les gribouillis dont il ne se lasse pas. À chaque arrivée, il se lève, accueille un de ces cadres, la plupart venus ici pour la première fois. Certains restent à proximité du seuil et pénètrent visiblement pour la première fois dans un tel lieu. D'autres font le tour pour saluer chaque opérateur, déclinant un nom qui ne dit rien à personne. Robert désigne une femme en tailleur rose qui demeure près de l'entrée à discuter avec une autre, vêtue de manière similaire mais en vert. La femme en rose, c'est la directrice des ressources humaines de notre service. La première fois qu'on la voit, rétorque Maryse, c'est un comble : elle devrait connaître chacun de nous. D'autres, en revanche, sont familiers : la chargée de marketing arrive dans son immuable tenue d'étudiante en école de commerce : pantalon noir et veste cintrée assortie. À croire qu'elle n'a que ça à se mettre, lance Maryse, tout bas. Mais elle est avenante et serre la main en nommant chacun par son prénom, le vrai, pas celui prévu pour les clients. Moi, je l'aime bien, dit Robert, au moins elle est sympa. Le petit brun moustachu a à son tour franchi le seuil ; il a troqué son costume de velours lisse contre une veste brillante qui fait pouffer Maryse : Il croit qu'il va à une soirée disco ?

– Lui, on aurait dû le mettre dans le débarras avec les fanfreluches du marketing, maugrée le nouveau.

Rien d'autre à faire finalement que de regarder ceux qui viennent les voir, entrent dans une de ces cages aux fauves décrites par les médias comme un nouvel enfer, le retour du travail à la chaîne (beaucoup croient qu'il a disparu, on n'en parle plus depuis trente ans). Tous, donc, les concernés, les convaincus, les compassés, les complaisants, les comploteurs, tous, composants de la grande entreprise, attendent la visite du directeur général soucieux de rattraper les événements qui lui échappent. Soudain, quelques trompettes, cornes de brume et clameurs se font entendre. On ne peut rien voir, les fenêtres ne donnent pas sur la cour, mais on devine qu'il est arrivé. Les syndicats lui ont préparé un comité d'accueil, comme on dit, histoire d'appuyer leurs revendications. En un instant la salle se vide des directeurs et des cadres. Maryse en profite pour se faufiler avec eux. Il ne reste qu'une poignée d'opérateurs, deux à trois par marguerite, histoire de montrer qu'on est là pour travailler puisque c'est ce qu'il s'attend à trouver, le directeur général.

51

Chacun gardera un souvenir fragmentaire de cette visite. Le nouveau a eu droit à une poignée de main et un regard appuyé du directeur général. Il croyait quoi ? Que j'allais lui dire que je suis heureux d'être ici ? Maryse a évidemment sorti son inévitable phrase passe-partout : Il faut se mettre à la place du client, ce que le grand patron s'est empressé de relayer au cénacle de cravatés réuni autour de lui. Vous entendez cela ? Hein ? Et chacun de hocher la tête devant la sagesse de l'opérateur de base. Puis Robert est entré en conversation avec un client, un vrai, et l'assemblée s'est volatilisée vers une autre marguerite. Et moi qui étais en train d'expliquer au client la marche à suivre et tout cela devant le directeur, raconte un télé-conseiller, je me retourne pour saisir les renseignements à lui donner et paf, disparu le mode opératoire ! il était sur une des tables qu'on avait retirées le matin même pour faire plus joli. J'ai eu l'air bête, conclut-il. Certains l'ont trouvé sympathique, d'autres tendu. Tu aurais vu sa tête devant le comité d'accueil syndical, claironne un délégué. – Tu parles, il doit être habitué, rétorque quelqu'un. En tout cas, son garde du corps, le grand type avec le crâne rasé, était sur le qui-vive. J'étais à côté de lui, je n'aurais pas aimé qu'il me balance une mandale. Tu aurais vu les directeurs à sa botte ! Et le nôtre, la tête qu'il a fait quand le big boss a demandé si nous avions un endroit pour afficher les cartes postales qu'on envoie en vacances. Lui qui s'est empressé de tout faire disparaître, depuis le temps qu'il en rêvait…

Même le chef paraît moins désabusé, plus tranquille depuis que le directeur général est venu. Il s'épanche, même, et raconte comment il a dû cacher dans différents bureaux un certain nombre de téléphones portables, bouteilles d'eau, médicaments et autres denrées de première nécessité au cas où l'on aurait cherché à séquestrer le patron. Et vous ne savez pas tout, dit-il en laissant tout le monde sur sa faim. Les langues ainsi se délient. On s'est vu à la télévision. Des proches ont appelé : On t'a vu aux informations. La presse relaie les différentes déclarations. On cherche à faire bonne figure mais les mots demeurent maladroits :

« Il faut remettre de l'humain dans les rouages », concède un communiqué de l'entreprise. C'est bien la preuve que nous ne sommes que des machines, soupire le nouveau.

52

C'est une journée habituelle qui succède à l'agitation. La tension s'évacue. Il lui semble être tout mou dans ses conversations avec les clients. Les mots parviennent à son casque comme à travers du coton. Le soir venu, il n'a qu'une hâte, retourner dans la ville d'à côté, retrouver le frère et la sœur, va savoir pourquoi. C'est une envie irrépressible, inavouable ; peut-on confesser cette idée fixe : je vais rendre visite à un paralytique parce que ça me fait du bien ?

Alors le trajet, sans autoradio, dans le silence encore bruissant du casque retiré. Et voir les immeubles identiques, les jeux déglingués, les arbres faméliques, la superette au fond du parking dévasté : la ville comme une évidence pauvre, la répétition obligatoire d'une pièce absurde, même pas une tragédie, tout juste une pièce de boulevard où la farce serait de faire croire qu'il y a autre chose que du vide. Dialogue : la sœur : C'est qui ? Lui : Éric. Elle : (un temps d'hésitation) : Je vous ouvre. Didascalies : Le palier sent la soupe chaude et la pisse de chat, une ampoule est grillée, il faut aller à tâtons pour trouver la première marche de la cage d'escalier. Théâtre d'ombres, il y a cette femme parfumée qui le frôle dans l'obscurité de l'escalier. Talons hauts, chevelure blonde et étrange manteau de fourrure, incongru dans l'automne à peine commencé et que la porte palière révèle à la lumière. Ça pourrait commencer comme un vaudeville, mais rebondissement dans l'intrigue : la sœur annonce que le frère est absent, en soins, à cause des escarres. Il imagine la scène, l'ambulance, le brancard qu'on passe par-dessus le balcon, les voisins qui regardent. Elle a un fichu sur ses cheveux : J'en profite pour faire le ménage. On voit le lit médicalisé à moitié tiré dans le couloir, l'aspirateur qui finit d'encombrer l'espace. Il ne revient que lundi, dit-elle, arrêtée au seuil de la chambre bousculée. Tout ce qui semblait jusqu'alors n'exister qu'à travers le lit central, l'écran pendu au plafond, les poulies de levage, les étagères et les bras articulés pour que tout soit à portée de bouche ou des trois doigts de la main droite qu'il peut bouger, tout cela, donc, est éclaté, dérisoire sans la présence du lit, l'espace comme rejeté sur les côtés, accroché aux murs. Et c'est une chambre modeste qui s'offre à ses yeux, les traces noires des roulettes du lit mobile qui zèbrent le linoléum, le papier peint jaune très clair, refait il y a peu mais déjà abîmé par l'ouverture élargie de la porte. Un fil électrique pend dans le vide avec un interrupteur au bout. C'est quand on a agrandi la porte. Il aurait fallu refixer la prise mais je ne connais pas d'électricien, et d'ailleurs qui se déplacerait pour si peu ? Il dit qu'il peut effectuer la réparation. Il dit aussi que tant qu'on y est, il faudrait faire le raccord de papier. Oui, mais Éric, nous ne voudrions pas abuser... Juste le prénom qu'il fallait prononcer, le frère jumeau, le type bien, porté par plus de trente rois norvégiens, danois et suédois, un dieu presque... Et souvenir de la première fois où le nouveau s'était senti adoubé, c'était avant tous ces événements, quelque chose qui aurait pu tourner comme une renaissance. Le jumeau, donc, déclare encore qu'autant refaire le papier peint défraîchi du couloir, par la même occasion.

53

Ce pourrait être simple, il suffirait de lui dire : je prends quelques outils, je vais refaire l'électricité et un peu de tapisserie chez un client paralytique. En a-t-il déjà parlé d'ailleurs ? Souvent on se raconte des anecdotes de la journée, le nouvel interne de l'hôpital pour elle, la remarque incongrue d'un chef pour lui, mais déjà bien assez à faire avec la vie commune à rassembler, donner l'image du bonheur, qui est réel, on est heureux, croissants le dimanche matin, visites toujours appréciées des enfants, quelques amis fidèles, des sorties trop rares. Ce devrait être simple mais la voix chevrote lorsqu'il en parle. Pas claire, ton histoire, conclut-elle. Et il faut que tu partes de si bonne heure ? Et tu reviens quand ? Il a un geste évasif. Il n'est pas rentré dans les détails, a omis de dire que la ville du client est à cin-

quante kilomètres. Il répond qu'il a son portable sur lui au cas où.

Elle est heureuse, la sœur : c'est le frère qui
aura une bonne surprise à son retour. On part
acheter la toile de verre, la peinture, quelques
fournitures électriques. On passe du temps au
magasin de bricolage, c'est un samedi, il y a du
monde. La vendeuse qui les conseille les prend
pour un jeune couple. Elle dit en s'adressant à
la sœur : Votre mari, en le désignant. C'est une
situation bizarre. Deux heures avant, il avait
une famille, une vie, et le voilà un autre, un
Éric aux mains blanches, vivant ailleurs, dans
une autre existence, c'est troublant, c'est un
ravissement, un rapt. C'est déjà presque la fin
de la matinée lorsqu'ils reviennent. Le temps
file alors à toute allure. D'abord l'électricité :
dérouler avec plaisir la petite pochette en cuir
de la trousse à outils, les pinces, les tournevis,
tout ce qui n'a pas servi depuis plus de huit
mois maintenant. Mais les mains blanches
obéissent mal, il casse une vis, il dénude un fil
trop court, il se coupe et une strie rouge apparaît sur l'index. Se peut-il qu'on perde si vite le
savoir-faire des doigts ? La sœur ne sait pas
comment l'aider. Gagnons du temps, voulez-
vous ? Pouvez-vous découper la toile de verre ?
L'après-midi passe ainsi très vite. Ils ne déjeu-
nent que de thé et de quelques gâteaux. Elle est
confuse : J'avais acheté un poulet. – Oui, mais

tant qu'on est dans l'action, répond-il. Malgré cette hâte, à dix-neuf heures il reste la moitié du couloir à tapisser et la peinture à faire. Il faut pourtant terminer. Il s'éloigne dans la salle à manger pour appeler. Je reviendrai très tard, ça a pris plus de temps que je pensais. À l'autre bout, un silence douloureux. Elle a deviné quand il revient dans le couloir. Je ne voudrais pas provoquer des ennuis. Mais il insiste, Éric, le nouvel homme, se force à sourire, balaie l'air d'un revers de main : avec lui c'est trente rois norvégiens, danois et suédois, un dieu presque... Ils terminent à une heure et demie du matin, assis dans la cuisine devant le poulet à peine entamé. Mangez-en encore, je ne veux pas que vous repartiez le ventre vide, je suis déjà suffisamment gênée de vous avoir accaparé. Il répond que le frère sera content. Il a des taches de peinture sur les mains, une odeur entêtante de white spirit sur les doigts lorsqu'il mange.

Il n'est pas loin de trois heures lorsqu'il rentre. Tu pues, dit-elle, en lui tournant le dos lorsqu'il se glisse dans le lit. La fin du dimanche sera maussade, Éric est reparti.

54

Pas grand-chose en fait : il s'agit juste d'emmener la voiture pour savoir si elle a une fuite. Il y a quelques temps, il a repéré des traces à l'endroit où elle stationne, mais avec les orages des derniers jours ça s'était dilué. En la déplaçant de nouveau, il a vu quelques gouttes sombres, et le doigt passé dedans, à le renifler, ça sentait le liquide de refroidissement. Avec le nouveau boulot il lui faut une voiture fiable. Alors la peur que se reproduise la grosse panne du 14 juillet : une durite avait lâché et tout s'était écoulé en fontaine sur le sol. On avait profité du grand week-end, on était partis loin de la maison, mais avec les trajets du travail devenus plus longs, sans doute cette escapade avait-elle été de trop pour le moteur déjà fatigué. En plus, impossible de trouver un garage ce jour férié. Ils étaient rentrés en train. Il avait fallu appeler la dépanneuse le lundi, s'arranger avec des collègues pour les trajets, puis retourner en train récupérer le véhicule après quelques jours d'immobilisation dans ce garage d'apparat où le chef d'atelier portait cravate et vous recevait dans un salon (on n'avait pas eu le choix). La note avait été à la hauteur du luxe déployé. Donc, là, la peur que ça recommence, on a pris rendez-vous au garage du coin. Le garagiste est un type compétent, dégarni, le genre de gars qui ne fait pas trop attention à lui, à sa santé, fumant comme un pompier, avec une dent qui manque devant, toujours dans une vieille cotte graisseuse et le ventre en avant. C'est lui qui est de service, ce samedi. C'est le patron, le nouveau, qui a donné le rendez-vous la veille quand il a appelé à l'occasion d'une pause. Le samedi, on a plus de temps, a-t-il dit. C'est devenu rare, un garage qui ouvre le samedi. L'atelier réparations de la plupart des grosses concessions est fermé, on considère comme un acquis social l'idée d'un week-end complet, difficile de bouger la troupe des jeunes mécanos. Les petits garages sont plus souples. Ici sont présents la secrétaire et le mécanicien ventripotent, trente ans de boîte chacun, visiblement, ça ne les défrise pas d'être sur le pont. Sur le pont, justement, le garagiste engage une Seat Ibiza ; il lui fait signe de rentrer la voiture derrière. Il referme le rideau de l'atelier : Quel vent, ça caillerait presque ce matin. L'expression « se serre la paluche ». Mais lui remarque la différence entre sa main devenue blanche, sa peau fine, et la poigne graisseuse, tendineuse, épaisse qui ouvre maintenant le capot. On discute de cette satanée fuite. Le garagiste plonge une lampe dans les entrailles du moteur et garde la main qui tient sa cigarette loin derrière lui à cause des vapeurs d'essence. Non, rien, pas de trace de fuite. Il ouvre le vase d'expansion et le relie à une sorte de pompe pour pousser le liquide de refroidissement à un ou deux bars de pression. Avec ça, s'il y a la moindre fuite, on va le voir tout de suite. Enfin dans cinq minutes. Dans un coin, il y a une machine à café et une table haute, genre bar, mais encombrée d'outils comme si l'atelier ne cessait de manger l'espace. L'homme en propose un, il refuse, sans trop savoir pourquoi. Le samedi, c'est plus peinard, on prend son temps, qu'il dit. Il transporte son café et sa cigarette sur le pont élévateur. Il entreprend de démonter la roue avant gauche en pestant contre cette quincaillerie de bagnole étrangère. On cause voitures : Mieux vaut en acheter une qui a fait cent mille kilomètres en deux ans qu'un véhicule de dix ans qui a très peu roulé, affirme-t-il. On parle moteur, pièces de rechange, technique. Et ça fait du bien de pouvoir discuter d'autres choses que de contrats ambigus, de tractations informatiques, de clients à la place de qui il faut se mettre (*dixit* Maryse). Les gros doigts huileux miment le mouvement d'un pointeau, d'un clapet, la difficulté de dégager un circlips, une courroie. Les mots taux de compression, bougies de préchauffage, injection, suralimentation résonnent dans l'espace de l'atelier, s'accrochent aux poutres métalliques, finissent de remplir un espace concret, entièrement voué à la mécanique, quelque chose de rassurant, de logique et de concret. De temps en temps, il va regarder si l'on voit une fuite apparaître, puis il repart vers le pont pour achever de démonter la roue. Dans l'atelier, il y a l'inévitable calendrier avec une femme à poil, des affiches graisseuses marquées *Motul*, un bonhomme Michelin qui sert aussi de pendule. Des cartons de pièces détachées s'empilent un peu partout. Il pense au bureau du chef, le totem en carton, la tête de gondole *Titanic* et l'ours gonflable, mais pas le même désordre cependant. Ici, on vit, la tasse de café est maintenant sur un gros bidon d'huile, la cigarette se consume, posée sur une mâchoire de frein démontée. Rien à voir avec le bazar caché du bureau, l'espace pensé du plateau, le bien-être réfléchi pour l'opérateur et qu'on vous rabâche chaque jour. Ici, c'est toute une accumulation qui s'est produite au fil des ans, l'espace est devenu insécable, on y rentre comme mécano et, tout de suite, l'atelier vous avale, vous prenez la couleur des murs, l'odeur de limaille de fer. On ne se contente pas de glisser sur la surface des clients, de leurs besoins, toute une rhétorique. Ici, la matière commande, la tôle, le plastique, le téflon, le carbone : il n'y a pas à négocier, convaincre, verser dans la fausse démocratie des relations commerciales. Ici, c'est la dictature de la matière. Des haut-parleurs d'autoradio sont accrochés à la charpente métallique et la musique d'une station populaire s'arrête : c'est le temps des infos. On parle de son entreprise et de ses drames. Ah, ils font chier, on entend que ça depuis des semaines. Le nouveau ne dit rien, et même hoche la tête en guise d'assentiment. La souffrance au travail, poursuit le garagiste, non mais… Il balaie l'air d'un geste de la main puis il enchaîne sur ceux qui feraient mieux de bosser plus, ils n'auraient pas le temps de se demander s'ils sont heureux. Et le chômage, il y en a qui s'y complaisent, hein ? Il acquiesce, l'autre, le nouvel opérateur, l'ancien technicien, Éric et son vrai prénom réunis par ses deux mains de chou-fleur qui se balancent au bout des bras. Il aurait pu argumenter, dire que tout de même, il y a des choses vraies et qu'il est bien placé pour le savoir. L'entreprise est un monde complexe… Mais il trahit ses collègues, il verse dans le camp de ceux qui ne croient pas à toutes ces fadaises. À quoi bon et n'a-t-il pas raison, le mécanicien, poings sur les hanches, fondu dans le décor de son atelier ? Celui-ci revient vers la voiture, redonne un coup de pompe puis conclut : Non, vraiment rien, pas de fuite, vous pouvez partir tranquille.

55

Elle explose quelques jours après. Enfin quoi ! Peux-tu me dire ce qui s'est passé, qui sont ces gens, pourquoi tu es revenu au milieu de la nuit ? Il répète l'histoire, la sœur et le frère paralytique, l'envie de rendre service. Tu es bizarre depuis que tu travailles là-bas. – Mais non, je t'assure. – Tu deviens taciturne, tu ne dis plus rien. Il lâche entre ses dents : Pas facile, l'ambiance. – Elle a bon dos, l'ambiance : souffrance au travail, qu'ils disent à la télé, tu parles ! Et moi, je ne souffre pas ? Et ta famille, elle compte pour du beurre ? S'il y a une autre femme, je le saurai. – Que vas-tu imaginer ? – Je le saurai, je te le jure.

56

Noté à l'encre verte du stylo à quatre couleurs : dimanche 18 octobre, 7 km à bonne
allure, forcé dans la ligne droite du canal,
besoin de me défouler, temps encore très doux.

57

Maryse se débat avec le questionnaire. Trop de réponses à fournir. Cette enquête est une idée de la boîte qui a repris du poil de la bête. Maintenant, c'est initiative sur initiative pour ne plus être débordé par les médias. Cette investigation fait partie des premières mesures. Confiée à un cabinet d'audit spécialisé, elle a pour but de mesurer les conditions de travail et de révéler la souffrance si elle existe. Maryse lance à la cantonade : Tu mets quoi à la question : dans mon travail, je suis amené à faire des choses que je ne partage pas sur le plan moral ? – Eh, dis donc, c'est personnel, répond Robert. – Oh, toi et la morale, ça te va bien, tiens. Maryse se tourne vers le nouveau. Tu en es où, toi ? – À la partie Situation psychologique. – Il est l'heure, annonce le chef. Les opérateurs se connectent à nouveau. On en reparlera après la cantine, souffle Maryse en enfilant son casque.

Le questionnaire ne fait pas l'unanimité. Certains pensent qu'il faut répondre au pire si l'on veut que les choses changent. D'autres, comme le nouveau, estiment qu'il n'aborde pas tous les aspects. Il aurait aimé qu'on lui demande plus clairement pourquoi son ancien métier lui paraissait plus intéressant. Quelles sont les relations qu'il a avec d'autres groupes de travail. Est absent tout ce qui forme le bruit de fond du travail, les conversations de cantine, les discussions de couloir, les anciens collègues qu'on croise au supermarché, les questions rituelles, les « ça va ? », les soupirs en guise de réponse, les « j'attends la retraite », les gestes, les mimiques, tout ce qui n'est pas exprimé mais qui demeure tellement éloquent et qui remplace les inévitables manques que toute organisation ne peut pas régenter. Négliger cela, c'est taire la vacuité, la peur, le désœuvrement, toute cette élongation du temps : alors quoi, qu'aura-t-on fait de sa vie ?

Il y a aussi les réunions. C'est également une idée de la boîte. Il s'agit de faire parler les gens, sortir du mutisme. Maryse dit : Mais on a toujours parlé. Entre nous, parce qu'avec les chefs on sait bien comment ça se termine. Si tu proposes une amélioration, ils te piquent ton idée, tu te fais traiter de fayot par les collègues et tu te retrouves avec encore plus de boulot. Depuis longtemps, d'ailleurs, personne ne disait plus rien en réunion d'équipe. La chargée de marketing déclinait les nouveaux produits, on se retrouvait à chaque fois avec de nouveaux objectifs, de nouveaux suivis. On savait bien que le petit moustachu en costume de velours lisse viendrait quelque temps plus tard pour convaincre l'équipe qu'on n'avait pas placé assez de contrats. Alors, autant ne pas perdre son temps à la ramener. Ça n'avait pas été toujours comme ça. Ils en avaient discuté l'autre jour à la cantine. Maryse, qui avait été secrétaire d'un patron, racontait qu'on lui demandait souvent son avis, même dans les conseils de direction, alors qu'elle n'était conviée que pour saisir le compte rendu. Ça a changé petit à petit, les cadres sont devenus carriéristes, la bonhomie traditionnelle a disparu. Le nouveau avait évoqué son ancien travail : on me faisait confiance, je participais aux réunions de chantier, je chiffrais les devis et je mettais un point d'honneur à respecter les délais. De nos jours le travail est tellement morcelé et distendu que tu ne sais même pas si au bout du compte le client aura satisfaction. – Alors, puisqu'on ne maîtrise plus les tenants et les aboutissants, à quoi bon parler boulot ? conclut Robert. Regardez-moi : plus un mot sur le travail, à la place je baratine les filles, c'est quand même plus agréable, non ?

58

Va te faire foutre ! Roland se lève d'un bond, la bouche déformée par la colère, le front cramoisi et plissé. Le casque s'arrache de sa tête et emporte le combiné, sa chaise à roulettes va taper contre un bureau. Il sort en claquant la porte. Maryse, en ligne avec un client, bredouille « je vous écoute » et fait un signe d'incompréhension. Le nouveau termine sa conversation et regarde autour de lui : le chef est absent, Robert aussi, et l'esclandre est passé inaperçu dans la grande salle. Il se déconnecte du groupement d'appels : Je vais voir ce qu'il a. La salle de repos est occupée par quelques opérateurs mais Roland n'y est pas. Il le retrouve en bas de l'escalier, dans le sas vitré du palier, immobile comme un poisson fatigué de son bocal, regardant fixement dehors. C'est une belle journée. Les arbres sont encore feuillus, à peine jaunis. On entend des chants d'oiseaux à travers la porte. Un pigeon picore les mauvaises herbes du bac à fleurs. Apportées par le vent, des graines aléatoires y germent depuis que la direction a eu la bonne idée de se séparer du concierge qui l'entretenait. Tu te rappelles, dit le nouveau en désignant la jardinière, le merle qui avait effrayé Maryse ? C'était en été, ils revenaient de la cantine et l'animal, blessé par un chat sans doute, secouait son aile abîmée sur le gazon. On l'avait déposé là, il y était encore le lendemain, et puis il avait disparu. Roland soupire : Y en a marre tout de même de se faire insulter, je sais bien que la consigne est de ne pas répondre, ça les excite encore plus, ces malades, mais parfois vraiment. Geste d'un poing serré. Alors, le nouveau : Heureusement, ils ne sont pas tous comme ça, tu te souviens quand tu m'as dit d'éviter de rappeler les clients, eh bien je suis presque devenu ami avec deux d'entre eux : c'est un paralytique qui vit avec sa sœur. Je suis même allé poser du papier peint chez eux. On se sent utile parfois. Roland secoue sa tête ronde : Ne mélange pas tout. Si tu as agi de cette manière, c'est de ta propre initiative. Le temps que tu as passé avec eux, l'entreprise aurait préféré que tu le consacres à vendre des contrats Optimum. N'oublie pas que, collectivement, on ne veut pas que tu existes en tant qu'individu. Et quand je dis on,

236

c'est nous, nous tous dans notre folie grégaire. Tout le monde m'appelle Roland, et j'en suis responsable aussi, mais ce n'est pas moi, ce ne sera jamais moi, je ne me reconnaîtrai jamais dans ce prénom qui sonne comme un cor de chasse. C'est compliqué la vie, n'est-ce pas ? Il y a un temps de silence et, au moment où le nouveau allait remonter l'escalier, le chauve ajoute d'une voix sourde, le visage toujours figé vers l'extérieur : J'ai tout gardé de ce qui est arrivé, tout, articles de presse, journaux complets. J'essaie de comprendre. J'aurais voulu que ça change et je me rends compte que l'entreprise continue avec les mêmes.

59

Pour les réunions où chacun va pouvoir s'exprimer sur la situation actuelle, le chef a préparé un planning. Il maugrée : Ce n'est pas obligatoire mais il faut bien que je prévoie tout le monde. On s'y rend donc, heureux d'échapper un instant au train-train du casque sur la tête. Tout de suite, on trouve que ce n'est pas normal : les cadres (l'entreprise les nomme les managers) se réunissent entre eux de même que le menu fretin des exécutants (habilement baptisés collaborateurs comme pendant l'Occupation) est rassemblé par paquets. On ne mélange pas les torchons et les serviettes, s'offusque Maryse. Les rencontres sont organisées par service, on côtoie ses propres collègues qui savent déjà tout de ce que vous pensez. Le type qui anime (un cadre qu'on ne connaît pas) insiste : Allez, lâchez-vous ! Le but est de faire

remonter ce que vous allez dire. « Faire remonter » : combien de fois avons-nous entendu
cette expression ? Faire remonter : toute une
digestion directoriale, relents de bile dans la
bouche avant que redescendent ordres, contror-
dres, informations importantes, suggestions
pressantes, vérités évidentes, invention du fil à
couper le beurre, un goût de ficelle grosse
comme une couleuvre à avaler, la régurgitation
d'une sorte de monstre, une substance vivante
qui vous intègre toujours, vous désintègre parfois. Par moments, on aimerait être les oubliés
de ces vastes structures. On se prend à rêver :
ah ! vivre nu au soleil d'une île désertée au sein
même de la vaste multinationale, un endroit
caché, un bâtiment désolé, un service effacé, un
organe inutile de ce vaste corps social où l'on
pourrait proliférer en paix. Tout en demeurant
payé. Car c'est là le nœud du problème, déclare
l'un : donnez-moi deux cent mille euros et je me
casse. – Et tu ferais quoi avec ? Tu tiendrais
combien de temps dans l'oisiveté ? rétorque
Maryse. – C'est vrai quoi, renchérit un autre :
on parle de souffrance au travail mais il ne faut
pas oublier celle qui est bien plus grande,
quand on se sent inutile au chômage. – Parce
que tu crois qu'ici on se sent utile ? ajoute
Robert. On évoque alors ce qui a changé,
l'impalpable mutation d'une société qu'on n'a
pas vue venir. Chacun se retranche derrière sa

croyance, ses convictions, les vieux clivages droite-gauche, les déçus de tous bords. On échange des anecdotes plus incroyables les unes que les autres. Il paraît, affirme l'un, qu'on a sacrifié un poulet et bu son sang dans une réunion de directeurs, histoire de se prouver mutuellement qu'on a le cœur bien accroché. Un autre : Le chef des ventes est arrivé au milieu de la salle dans le fauteuil roulant qu'il avait piqué à l'infirmerie en déclarant : j'ai mal à mes résultats, je suis handicapé de mes objectifs ! Un troisième : Ce que je vous raconte, je l'ai vécu. On m'a fait danser la lambada dans une réunion, c'était, paraît-il, pour renforcer la cohésion de l'équipe. Résultat : on s'est tous évités pendants trois semaines. Les échanges se succèdent. Le cadre prend note : éclats de gloire, morceaux de bravoure, évidences quelconques ou vagues poncifs à faire remonter.

60

Il y a le message qu'il a reçu sur sa boîte vocale : la tonalité connue, métallique, hachée, dès le retour de l'hôpital du paralytique. L'invitation à passer « pour qu'on vous remercie de vive voix ». Il n'a pas répondu. N'est pas passé. S'il y a une autre femme, je le saurai. Que pourrait-elle imaginer avec la sœur ? Il suffisait que quelqu'un l'aperçoive, une connaissance bien intentionnée : J'ai vu ton mari dans un magasin de bricolage, dans la ville d'à côté, il était accompagné... Il reçoit ce jour un message : *Nous vous remercions encore, mais le faire de visu serait mieux, nous vous attendons.* Alors, il s'énerve : lui, bien sûr, il n'a que ça à faire, le tétraplégique, attendre que ça se passe. Il répond de suite un laconique : Beaucoup de travail. À nouveau le petit avertissement de son portable retentit quelques minutes plus tard :

Ne vous excusez pas, croyez en notre amitié. J'ai écrit tout cela à la bouche par mon ordinateur. Vous voyez, Éric, je me débrouille ! Il regarde machinalement l'endroit où se trouvait le calendrier des peintres de la bouche et du pied avant qu'on le retire pour la visite du directeur général. Ce sont ces messages qu'il faudrait recopier et afficher à la place avec, comme explication : Quand on se bouge pour nos clients, on peut faire des miracles ou un truc du genre. Mais c'est sans doute un peu simpliste et puis la discussion qu'il a eue avec Roland à la suite de son esclandre l'a troublé : le danger, oui, ce serait peut-être de croire qu'Éric existe pour de bon, faire le jeu de l'entreprise en quelque sorte, imaginer que cette identité professionnelle est librement consentie alors qu'elle a été fabriquée de toutes pièces par une organisation à laquelle on participe, morceau d'un vaste corps social. Éric, non plus comme un des trente rois norvégiens, danois ou suédois, juste quelques cellules vivantes d'une entreprise qui le dépasse. Autrefois, il se serait représenté comme une main, un ensemble de tendons, un avant-bras noueux, quelque chose d'utile. Éric est devenu un bas morceau, un fessier, un pli disgracieux, une ride : le corps social a vieilli. La moyenne d'âge de tous les éléments dépasse le demi-siècle. Malgré ces alarmes démographiques que tout le monde connaît depuis des années, on embauche très peu. La machinerie humaine continue de vieillir inexorablement. On s'use.

61

Aux informations du soir, le présentateur annonce : Comme chaque soir, voici un nouveau volet de notre enquête « Qu'est-ce qu'être français aujourd'hui ? ». Le reportage présente une cité semblable à celle de la ville d'à côté. Voici un rassemblement de jeunes désœuvrés au pied d'un immeuble. Voici une boucherie avec des caractères arabes sur la devanture. Image suivante : un panneau indicateur avec écrit « mosquée, 100 m à gauche ». La voix off du journaliste parle de port du voile, de communautarisme tandis que la caméra s'attarde sur un trottoir où passent des ménagères en vêtements orientaux, identiques à celles de la ville d'à côté. L'homme qui est interviewé s'appelle Karim, il est animateur – c'est marqué sous son visage présenté en gros plan. Il faudrait une salle de sports pour les jeunes. Voix off du journaliste : la dernière encore en service a brûlé il y a trois mois, un acte revendicatif de la part de jeunes qui se sentent exclus. À nouveau l'image du groupe de désœuvrés au pied de l'immeuble mais en plan plus rapproché. L'un d'eux esquisse un geste en direction de la caméra : poing levé ? bravade ? Retour sur le présentateur qui enchaîne : Et ce n'est pas du tout l'avis du député de la circonscription. On écoute. Enchaînement sur le député qui explique qu'on ne peut plus tolérer les incivilités. Il parle des valeurs de la République qui sont les nôtres, insiste sur la nécessité du vaste débat national pour permettre à tous les Français de s'exprimer. Image suivante : une mère de famille (on suppose, il y a un tricycle devant son modeste pavillon) évoque l'insécurité grandissante. Image suivante : à la sortie d'une école primaire, des parents attendent les enfants. Image suivante : de dos, un homme barbu en djellaba et sa femme en tenue associée. L'homme se retourne et fixe un bref instant l'équipe de tournage qui les suit. Retour sur le plateau des informations. Plan élargi : le présentateur accueille le ministre en déclinant ses titres. Et avec toutes ces activités, vous parvenez aussi à présider le débat parlementaire sur le sujet ? Plan rapproché. Le ministre joue les modestes puis enchaîne d'un ton sérieux : C'est parce que je crois à la grandeur de la France, à son glorieux passé humaniste que... Tu peux me sortir le sel et le poivre ? C'est quand même extraordinaire, on n'arrive plus à trouver des tomates avec un vrai goût dans ce pays, dit-elle. Il en profite pour apporter aussi une bouteille d'eau gazeuse. Prenons l'exemple de la burqa, poursuit le ministre. Il parle encore quelques minutes. Elle se lève pour prendre un yaourt dans le frigo. Tu en veux un ? Le présentateur conclut : C'était, comme chaque soir notre enquête « Qu'est-ce qu'être français aujourd'hui ? ». Le générique s'enchaîne automatiquement : sur fond de musique à base de percussions, c'est la vision pendant quelques secondes de policiers demandant ses papiers à un Noir. Éric et ses trente rois norvégiens, danois et suédois lui traversent l'esprit. Elle plie soigneusement en quatre le couvercle du yaourt avant de le glisser dans le pot vide : il l'a toujours vue faire ainsi. Voici les autres nouvelles de la journée, enchaîne le présentateur. On voit un concours de caniches, la propriétaire du chien gagnant qui présente son champion. « Du côté du sport » propose un match de handball. On assiste à quelques échanges devant les buts et la joie bondissante de spectateurs dans les tribunes. Il la regarde à la dérobée, hasarde une anecdote sur son travail, histoire de parler, mais elle feint de ne pas s'y intéresser. Elle a les lèvres serrées et quelques rides de fatigue au coin des yeux. En bref, l'actualité à l'étranger. Image d'une ambulance qui passe à toute vitesse dans une rue de Bagdad. Il oublie instantanément le nombre de morts de cette nouvelle bombe. Elle dit : Tu veux une pomme ? Banalités...

Après il y aura la vaisselle sur fond criard de publicités. Comme chaque soir, il demande s'il peut changer de chaîne. Comme chaque soir, elle répond qu'il y aura la météo après la pub. Il débarrasse, elle lave, il essuie. Le lave-vaisselle tourne moins depuis que les enfants sont partis. Platitudes...

Après, il y aura le refuge d'un téléfilm américain ou d'une dramatique insipide. On évitera soigneusement les émissions où les animateurs « bien connus des téléspectateurs » lancent des plaisanteries devant un parterre d'invités rigolards et conquis. Après on traînera pour aller se coucher, s'éviter dans la proximité du lit. Faiblesses...

C'est ainsi depuis le fameux week-end du papier peint chez le paralytique. Il faudra bien qu'on en sorte pourtant.

62

L e directeur envoie un premier bilan des réunions où « chacun a pu s'exprimer librement sur la situation actuelle ». C'est à la fois une situation chiffrée où l'on apprend que plus de quatre cents propositions ont été faites sur un total de deux cents réunions. C'est un satisfecit également pour le directeur qui a « personnellement veillé à… », « prouvé qu'une telle initiative dans le contexte difficile que traverse l'entreprise peut rencontrer un grand succès ». Bref, il se complimente lui-même, déclare Robert. Il y a aussi des propositions : « il faut placer l'humain au centre » est la première d'entre elles. Ça me fait peur, on ne va pas nous laisser souffler un seul instant, lâche Maryse. Ça prouve aussi que l'humain est déplaçable comme une chose, insiste Robert, une vulgaire matière, une substance comme la peau ou les os. À cette évocation le nouveau revoit un bref instant quelques scènes du feuilleton américain : le cadavre sur la table métallique, la forme de la tête en masse noirâtre, la mâchoire figée dans un rictus. Clarifier, renforcer, anticiper, participer, donner du sens, créer, améliorer, simplifier, équilibrer, rapprocher, favoriser : les autres verbes à l'infinitif qui développent les propositions ressemblent à des prières. C'est comme une messe, des imprécations, remarque le nouveau. Et tu sais ce qu'on dit, s'esclaffe Robert : que l'enfer est pavé de bonnes intentions. Vous allez voir, on va être heureux maintenant, ajoute-t-il en s'étirant avant de jeter son gobelet dans la poubelle. Le bonheur forcé, ça me fait peur, renchérit Maryse en replaçant la note directoriale sur la table de la salle de repos. – Peur, peur : tu n'as que ce mot à la bouche. Tu es une trouillarde, oh, oh, la pétocharde, si t'en avais, tu les aurais à zéro, pas vrai ? Les trois opérateurs sont déjà levés, prêts à reprendre leur service. Roland, demeuré attablé, continue d'éplucher un dernier quartier de pomme. Dis donc, l'humain au centre et à la boule à zéro, tu te dépêches ?

63

Insomnie encore. Ce sont de vieux souvenirs qui arrivent par vagues. Le collègue et sa mine effarée dans l'atelier où ils se réunissaient tous pour préparer du matériel, prendre un outil, du câble, toute une quincaillerie pour partir sur les chantiers, mais là, c'était au retour, le chef l'attendait : un accord de préretraite avait été signé, il pouvait s'en aller, et même du jour au lendemain, d'où sa tête impayable. Et le chef d'énumérer les avantages, la prime de départ, le bénéfice des œuvres sociales de la boîte qui pourrait continuer, tout un dispositif destiné à le faire partir, et au plus vite. – Mais mon salaire ? – Tu gagneras autant. – Et pour ma retraite ? – Aucune influence. Il comprenait difficilement, le gars, posait des questions, tournait sa mine interrogative à droite et à gauche, quémandait un avis, un assentiment. Qu'est-ce que tu ferais à ma place ? Et tous les présents de l'atelier, tous lui répondant qu'à sa place, oui, pas à hésiter. – Oui, mais je vais faire quoi chez moi ? insistait le visage hébété. – Ce que tu veux, pauvre pomme ! Et chacun d'énumérer les journées idylliques qu'ils auraient eues si par chance c'était tombé sur eux. Les matinées à vélo, les après-midi à la pêche, le jardinage, le bricolage. Et pas de chef sur le dos, à part bobonne. Ah, c'est pas à moi que ça arriverait, lâchait un tout juste trentenaire. Il avait fini par partir, ça avait été le premier d'une longue série : l'accord était signé pour dix ans. Pendant une décennie, donc, on avait vu partir quantité de collègues. Le rituel était bien rodé. Les heureux bénéficiaires commençaient à en parler cinq ans avant, parfois. Il ne se passait pas une journée sans qu'un d'entre eux n'expose la phrase rituelle « pour ce qu'il me reste à faire », manière de signifier qu'ils n'allaient pas se décarcasser pour la boîte outre mesure. C'était souvent par pure bravade, la plupart continuaient à assurer leur boulot avec conscience, comme si de rien n'était, jusqu'au dernier moment. On les retrouvait soudainement tout émus à leur pot de départ, à peine reconnaissables dans un costume rarement porté, ayant délaissé la blouse d'électricien ou la cotte de câbleur. Bobonne, qui serait maintenant le nouveau chef de la maisonnée, était invitée aussi. On lui remettait une plante verte et une chaise longue ou un barbecue pour l'heureux récipiendaire de la préretraite. Un directeur se fendait d'un discours et, deux heures plus tard, s'en allait celui que vous aviez côtoyé pendant parfois plus de vingt ans. Il faut savoir lever le pied, toutes ces années ça commence à faire, disait le gars en conclusion d'une vie de labeur. Il promettait de revenir pour dire bonjour aux copains. Ça durait quelques mois et puis lui et les autres disparaissaient définitivement, sauf ceux qu'on retrouvait par hasard au supermarché, ceux qu'on voyait passer à vélo, ceux qui pêchaient et qu'on klaxonnait au bord du canal. Parfois on lisait leur nom à la rubrique nécrologique, certains, qui avaient gardé le contact, les savaient malades. On se disait qu'ils en avaient un peu profité quand même. Dix ans, donc, à voir tous ceux de plus de cinquante-cinq ans partir d'un coup, même pas à réfléchir avec les avantages qu'on leur laissait. La boîte s'était vidée petit à petit. On s'était habitué. Beaucoup pensaient que ça continuerait ainsi indéfiniment. Après tout, pourquoi pas moi après eux ? N'ai-je pas mérité aussi la vie rêvée, tout ce qu'on avait contribué à organiser pour nos aînés à peine plus vieux que nous, voyages, associations culturelles, sportives, caritatives, club de gym le lundi, piscine le mercredi et la fraternité d'un groupe de marcheurs le vendredi, tous partis en forme, certains avec même pas de cheveux blancs : légitimement, on voulait vivre pareil. Mais l'accord n'avait pas été reconduit, « retraite » était même devenu un mot tabou, une insulte à la face de ceux qui se targuaient de vouloir travailler plus et plus longtemps. En parler était devenu synonyme de profiteur antisocial, roi fainéant, inactif indolent, indifférent au reste du monde. On avait mis notre mouchoir pardessus, comme on dit. Souvenir aussi d'une collègue à bout de nerfs et sanglots dans la voix qui lui avait lâché (c'était peu avant qu'il quitte son ancien travail) : Tu ne crois pas qu'ils vont nous proposer quelque chose ? Tout de même, ils ne peuvent pas nous laisser comme ça. Ils l'avaient fait. Ils se l'étaient autorisé. Ils : c'était nous tous. Nous avions été les complices, mieux : les promoteurs, de ce changement obligé qu'on nous serinait quotidiennement sur les ondes : qui paierait nos retraites ? On s'était rangés à ces arguments, certains par sacrifice pour la génération qui suivait, leurs propres enfants, d'autres par jalousie envers ceux qui étaient partis heureux ou toute autre argumentation qui consiste à se bâtir une raison.

Quand il en parlait autour de lui, alors oui, la raison l'emportait. Regarde, dans tous les pays d'Europe l'âge de départ à la retraite a reculé, il n'y a plus qu'en France, disait l'un.

On vit plus vieux, normal qu'on profite d'un peu moins de retraite, disait l'autre. Tristement, on remballait ces pensées au goût amer, on nous faisait comprendre notre égoïsme. Dans la rue, au supermarché, au quotidien, partout on nous montrait ces retraités actifs, heureux et superbes, ceux qu'on connaissait, parents, amis, et les inconnus que la télévision nous présentait au hasard d'émissions destinées à montrer combien il fait bon vivre ici. C'était devenu une vitrine tentante comme celle d'une pâtisserie, mais interdiction d'y pénétrer pour acquérir un éclair au chocolat ou une religieuse. Pour comble de malheur, ceux qui n'allaient déjà pas très bien, qui sentaient encore plus les vicissitudes de l'âge ternir leur entrain, pour ceux-là, c'était encore plus difficile : la boîte n'avait pas changé d'un iota son discours depuis le temps où elle souhaitait se débarrasser de ses plus anciens éléments. On continuait à rendre la vie impossible aux vétérans : l'expérience ne valait rien, on réclamait chaque jour plus d'adaptation et ceux qui auraient souhaité poser un peu leurs bagages, ayant élevé une famille, ayant conduit leurs enfants à des métiers, ceux-là étaient montrés du doigt, souvent moqués dans leur lassitude à devoir encore et encore ingurgiter les mêmes couleuvres que toute la vie on avait tenté de leur faire avaler. L'entreprise, dans sa grande majorité, c'est sûr, aurait bien aimé prolonger ces départs prématurés. La masse salariale avait baissé, la trésorerie s'était assainie. L'entreprise, plus ou moins inconsciemment, avec plus ou moins de colère, avait fait payer aux restants le prix fort des désillusions. L'entreprise, c'était nous. Le prix fort, c'était le profil de ceux qui avaient mis fin à leurs jours : des hommes cinquantenaires, sujets à risques psychosociaux, selon un directeur. Ça s'était arrêté, fallait faire avec. En haut de l'arbre que vous aviez escaladé, il n'y avait plus cette branche pour s'agripper : vertige de ceux qui atteignaient maintenant l'âge des anciens partis. On en voulait à sa propre mère de n'être pas né trois, cinq ou sept ans plus tôt. De ne pas pouvoir en profiter à l'âge idoine ça, on ne le disait pas franchement et pour une bonne raison : tout le monde, entreprise, salariés, syndicats, nous tous avions été les fervents adeptes de ces retraites faciles et anticipées. Que ça se soit arrêté, c'était aussi de notre responsabilité. Nous étions les victimes et les bourreaux.

Alors, il était logique que cela revienne comme un boomerang mais avec les mots d'aujourd'hui. Fini le retraité à casquette et charentaises, le pensionné poussiéreux. Les euphémismes avaient fleuri, s'éteignaient de la même manière rapide et désordonnée. Les troisième et quatrième âges étaient des concepts révolus : on n'allait tout de même pas inventer un cinquième âge. On voulait quelque chose de dynamique et d'actif : le mot « sénior » s'était imposé, mieux que vétéran. On conclut donc un accord du même nom, destiné à valoriser ce qu'on nomma pudiquement « la deuxième partie de la vie professionnelle ». C'était un délégué qui leur avait annoncé cela avec fierté : obtenu de haute lutte de la part du syndicat qu'il représentait. Il avait insisté : On doit donner une nouvelle chance de travail à ceux qui œuvrent depuis longtemps. Il avait enchaîné tout de suite, sans attendre la véritable question qu'on n'aurait pas manqué de poser : Oui, on examinait aussi la possibilité de départs anticipés pour les plus séniors, vétérans, anciens, doyens...

Le réveil sonne. Il ne s'est pas rendormi, mais c'est la même impression qu'au sortir d'un cauchemar. Son corps entier est épuisé, douloureux : le poids des ans.

64

L e silence succède à la reprise en main. Il est bruissant, empli des conversations du plateau. Si j'ai bien compris, vous souhaitez modifier votre contrat ? Vous êtes bien monsieur/madame/mademoiselle ? Je peux vous proposer la formule Optimum confort. Vous habitez bien ? On capte les phrases des collègues, les ordinateurs ronronnent, on s'entend parler, une chaise grince mais c'est quand même le silence. On le ressent comme une lassitude froide. Si c'était un paysage, ce serait une banquise bleue, inhospitalière. Si c'était un objet, ce serait un carton vide, une planche délaissée, quelque chose d'encombrant. C'est le silence parce qu'il n'y a plus rien à dire ou plutôt tout a été dit. On s'est réuni, on a voulu crever l'abcès une fois pour toutes, on veut passer à autre chose. Et à n'importe quel prix : alors l'agitation prévaut, réunions, bilans, idées, suggestions. Il faut remettre de l'humain dans les rouages et l'humain coule comme une huile renouvelée. On a changé le bain de friture mais les requins restent les mêmes, capables toutefois d'adapter leur discours. Par exemple, pour tel directeur, mettre de l'humain dans les rouages c'est demander d'une voix enjouée à chacun des cadres qu'il continue de se déplacer parfois de trois cents kilomètres pour des réunions insipides : Vous avez fait bonne route ? Par exemple, pour telle responsable considérée comme une vraie peau de vache, s'est s'octroyer du jour au lendemain la compétence de leçons de savoir-vivre. Par exemple, sur le plateau, c'est le petit moustachu à costume de velours lisse qui obtient une promotion et qui annonce du jour au lendemain que ça va changer (le nouveau se souvient du chef qui, à cette déclaration, a baissé les épaules encore plus qu'à l'accoutumée). Bref, on veut passer à autre chose. Tous unis, il faut bien avancer. Mais l'autre chose demeure une chimère désagréable, un mythe incertain, un préjugé agaçant comme un pincement régulier du cœur, la trace d'une arête en travers de la gorge, le poids de paroles tues. L'huile de l'humain garde un goût rance. Tout continue de se déliter petit à petit, de se détricoter en sac de nœuds inextricable. C'est comme une brûlure qui persiste à carboniser la chair malgré le feu éteint. Il faudrait un don surnaturel pour que tout cesse. Il paraît que certains ont le pouvoir de couper le feu, on doit bien avoir un guérisseur compétent dans la vaste entreprise, hasarde Roland dans la salle de repos. Le nouveau fait une moue perplexe en guise de réponse.

65

On glisse invariablement vers l'hiver. C'est une période étrange où la sensation du temps se dilue dans la grisaille. Le crépuscule arrive en catimini à l'heure du goûter. Les trottoirs luisent sous les lampadaires. Sur le plateau, les lampes sont allumées en permanence. La lueur des écrans éclaire les visages, la mèche blonde de Maryse paraît plus claire, les rides de Robert plus marquées, et le crâne de Roland plus dégarni. Le ruban lumineux des phares est devenu l'unique repère du trajet de travail. En contrebas de la route, on devine les ombres fantasmagoriques des arbres, l'échappée des champs qui s'efface dans un horizon violet. Parfois un chevreuil rescapé de la saison de chasse traverse des sillons luisants, un héron solitaire caresse le miroir d'obsidienne d'un plan d'eau. Tout se mélange, où est-on ? Quelle

heure ? Quel jour ? Il arrive avec la nuit, enfile
un casque. Vous êtes bien monsieur/madame/
mademoiselle, réponses convenues, cantine insipide le midi, salle de repos sans repos, puis
repartir dans le sombre sans n'avoir eu un instant la sensation du jour. On découvre que
Noël approche. La jeune femme qui choisissait
en septembre le cartable de son gamin com-
mente maintenant les publicités pour les jouets.
La chargée de marketing présente une nouvelle
promotion : l'offre Optimum « joyeuses fêtes ».
Le chef s'inquiète par avance des guirlandes et
des boules qui ne manqueront pas d'encombrer
encore plus son bureau après usage. La convivialité est à nouveau au goût du jour : on distribue des papillotes, des crottes en chocolat. On
organise des pots de fin d'année, des repas de
réveillon. Dans les conseils de direction, les
cadres se répartissent déjà le planning de jan-
vier : qui présentera les bons vœux dans telle
ville de province ? Qui organisera la galette
dans tel service ? Être affable, amène, courtois,
ce sont les nouvelles consignes. Faux-cul, rajoute
Robert.

Il faut s'habiller plus chaudement pour courir. Les pieds évitent les flaques sur le chemin
de halage. Certains jours, une bordure de glace
persiste sur le pourtour et se déchire sous les
foulées avec un bruit de papier de verre. Avec
l'entraînement, son souffle est devenu régulier.

Il longe le canal où s'échouent les feuilles des platanes. Les canards viennent à sa rencontre dans l'espoir d'un bout de pain. Il y a aussi toute une semaine où la glace fige la surface en patinoire. On trouve alors une foule d'objets jetés dessus : branches cassées par le gel, cailloux lancés par des écoliers, canettes de bière. Un jour, il y a même un chien intrépide poursuivant des mouettes qui trottinent sur la banquise. Il faut des gants, un bonnet. Il faut se rassembler à l'intérieur de cette coque chaude, sentir sa propre respiration, quelque chose d'unifié, qui rassure. Il pense à l'identité nationale qui traverse l'actualité du moment. Peut-être qu'avant même de faire réfléchir les citoyens à cette idée il faudrait laisser à chacun la possibilité de se sentir ainsi réuni avec soi-même, dans son propre corps. À la place, on régente, on influence, on disloque, on extrapole, on se disperse, on tire à hue et à dia. On, c'est nous tous. Et nos vies prennent parfois l'apparence du supplice de la roue : écartelé sur le grand cercle mondial, membres rompus au travail, le cœur et le cerveau sollicités de toutes parts, mais avec une grande douceur, à coups de plume, de concepts mielleux, de justifications mystiques, de cajoleries religieuses, d'enlacements médiatiques. On suit le cours d'un temps prévu, arbitrairement décidé. Qui oserait remettre en cause Noël, par exemple ? La nouvelle année donnera l'occasion d'un concert de klaxons partout dans le monde. Ce qui pourrait être un plaisir devient souvent une contrainte, la valse des cadeaux, les retrouvailles en famille. En courant seul le long du canal où s'échelonnent les saisons, il lui semble enfin échapper à quelque chose, une emprise indistincte, une obligation. Il a la sensation, certainement fausse, de rester maître de son destin et de tout ce qu'il a subi. Ce nouveau travail, dont il a vite fait le tour, lui paraît ainsi moins insupportable. Il est Robinson et l'eau figée du canal rectiligne se courbe, l'enserre en île déserte. Le ciel, même bas, a des odeurs de tropiques, des parfums d'aventure. À l'intérieur des gants, le sang circule à nouveau dans les mains blanches.

66

Il rencontre le collègue par hasard au centre-
ville. C'est un ancien de son travail d'avant,
un des gars d'une équipe voisine, un de ceux
qu'on rencontrait tous les jours à l'atelier,
empruntant parfois une mèche de perforateur
ou une aiguille tire-câble. Souvent on allait
ensemble boire un jus avant de démarrer sur
un chantier et lui, un peu fort en gueule, qui
racontait toujours une anecdote où il était le
héros. Mais là, perdu de sa superbe, amaigri :
ses parents décédés à six mois d'intervalle.
Comme ça, dit-il, pas eu le temps de penser au
changement de boulot. Avec la réorganisation,
tout avait été remanié et ceux comme lui, qui
avaient acquis quelques titres de noblesse en
intervenant sur les opérations délicates et les
clients importants, avaient récupéré des tâches
moins glorieuses. Un retour de vingt-trois ans

en arrière, explique-t-il. Toute la formation aux techniques les plus pointues balayée d'un coup, devenue inutile. C'est maintenant qu'il y pense. À la douleur du deuil se substitue celle de la perte de ses compétences. Il apprend aussi que le salarié de la boîte qu'il avait rencontré lors de la course populaire, un athlète licencié d'un club local, vient de subir un double infarctus. Il a failli y passer. Un gars qui ne fumait pas et ne buvait que de l'eau, il en a pour un moment et, bien entendu, on ne le remplace pas, on répartit son travail entre les autres. Un traîneau publicitaire en carton scintillant juché sur un tracteur passe dans la rue. Des haut-parleurs crachotent la voix de Tino Rossi. Des boules de Noël s'entrechoquent sur l'attelage. « Des milliers d'affaires pour les fêtes avec vos commerçants » pour accompagner la mélopée. On attend que l'équipage circule avant de reprendre la conversation.

Et de faire le compte, par la même occasion, de tous ceux qui ont eu des pépins de santé récemment. Le technicien du central devenu l'ombre de lui-même : une maladie de sang. Son collègue, un grand qui mangeait tout le temps des pommes comme Roland : n'a pas profité longtemps de sa retraite. Et la petite du service des ventes : un pépin au cœur aussi, mais plus définitif. Ça allait faire un an qu'on l'avait enterrée. Ces nouvelles sont déballées au milieu des vitrines décorées, des guirlandes municipales, des sapins couverts de fausse neige. À l'addition de tous ceux qui ont payé et dont les médias ont parlé, il y a les anonymes dont on se souvient, les tristes nouvelles qu'on a enfouies. C'est Maryse qui évoquait un jour ce collègue qui soufflait chaque matin, disait qu'il n'en pouvait plus. On minimisait, on avait fini par ne plus faire attention et l'infarctus était arrivé. Et un autre, un grand sec responsable commercial, même maladie que l'athlète licencié, circonstance analogue : il préparait le marathon et s'était effondré dans un stade à l'entraînement. On n'avait pas pu le ranimer. Un autre encore qui s'était enfermé dans son bureau de chef un vendredi soir. On l'avait retrouvé le lundi : cocktail mortel d'alcool et de médicaments. Hormis le point commun que tous ont travaillé dans la même entreprise, on ne peut rien en conclure, il est parfois préférable que la grande faucheuse garde son mystère ou que la maladie ressemble à une farce de Molière. Dans la rue, le traîneau en carton scintillant repasse. *Petit papa Noël, quand tu descendras du ciel...*

67

Il a étalé toutes les coupures de journaux sur la table de la salle à manger. Il les a empruntées à Roland. Il saisit un hebdomadaire, celui avec le visage de la jeune femme sur une double page et la photographie de la fenêtre d'où elle a sauté. Il le feuillette sans le lire et le repose. Ça sert à quoi de remuer ces histoires ? Il faudrait oublier. Il hausse les épaules : on ne fait que ça, oublier. On passe d'un événement à un autre. On n'y peut rien. Personne n'y peut rien. On ne reviendra pas en arrière. Il voudrait juste se persuader que ça s'est réellement passé. Par moments, on a l'impression au boulot que rien n'est arrivé. Bien sûr, il y a eu tout un chamboulement articulé autour de ces drames mais, finalement, ce n'est jamais qu'une transformation de plus, un changement de cap, de stratégie. On en a tellement connu que, même pour celui-là, on en oublierait presque la cause. Et puis rien n'a vraiment changé, on l'engueule toujours autant pour les objectifs commerciaux qu'il n'arrive pas à atteindre. Pourtant, à tout reprendre, on voit bien la somme que ça a représenté, l'emballement, les appels à la démission du directeur général, puis la retombée, tout ce qui a détourné l'attention, la suite de l'actualité. À la lecture d'un article il retrouve le prénom d'une des victimes et lui revient alors l'anecdote du jeune stagiaire à qui on présentait la plaque de son père, mort en service : *À la mémoire de...* Mais maintenant, c'est presque pire. Avant, on rendait hommage au hasard d'accidents de la circulation. Ici, on ne prévoit rien pour se souvenir de tous ceux qui ont volontairement crié leur désespoir. On cache nos propres manquements derrière le silence. Ce n'est pas nouveau : qui se souviendrait de Sylvain Schiltz, SDF mort de froid en 2005, s'il n'y avait eu quelques quidams pour le citer dans des livres et dans des journaux ? Lui, oui, s'en souvenait comme une sorte de bizarre prédisposition à se remémorer les histoires des gens de peu, les tragédies des paralytiques anonymes. Il reprend tout, article par article, et reconstitue une liste, certes incomplète, mais qui a le mérite d'exister : miracle et persistance de l'écriture.

68

L a ville d'à côté ne parvient pas à se doter
d'un air de fête. Rien ne distingue la
rocade anonyme de celle des autres villes ou de
ce qu'elle est à une quelconque époque de
l'année, à part quelques tas rescapés d'une
neige sale, quelques glaçons déversés par les
bâches des camions qui en font le tour pour
rejoindre l'autoroute. Si on veut parvenir au
quartier des immeubles, on évite la bretelle qui
mène au centre et on plonge par de grandes
avenues insipides bordées de parkings déserts
et de bâtiments cubiques. Aucune décoration.
Au dernier rond-point, il y a une sorte d'étoile
allumée au milieu du cercle mais elle pourrait
signifier n'importe quel événement. C'est pourtant l'approche de Noël qui l'a décidé à venir.
À force, on se laisse prendre par l'apathie commerciale, une sorte de langueur, le souvenir

idéal de fêtes enfantines, pourquoi ne pas aller voir le paralysé et sa sœur ? Il a prévenu de son passage. On lui a répondu un « avec plaisir », suivi d'une ribambelle de points d'exclamation. Il s'est arrêté pour acheter une boîte de chocolats que la vendeuse a emballée avec un papier à motif de guirlandes, ça allait de soi. Mais sur le trajet, l'idée lui paraît moins bonne déjà. C'est remuer tous les évitements, les suspicions, les non-dits des dernières semaines. S'il y a une autre femme, je le saurai. Y aller, c'est se persuader qu'il n'y a rien de mal, juste un peu de chaleur à partager avec ceux qui ont moins de chance que vous. Jouer les bons Samaritains ne l'intéresse pas, il veut prendre, gober la dernière énergie que le géant immobile à jamais est capable de donner. C'est un but presque égoïste, anthropophage, et cette intention malsaine le dérange.

La sœur, ravie, confiante, accueille le vampire, donc, laisse entrer le loup dans la bergerie, et l'animal est presque surpris du couloir qu'il a lui-même refait. Il faut dire que c'était la nuit et qu'il s'était dépêché de partir au dernier coup de pinceau. Je n'ai pas eu le temps de les raccrocher. Elle désigne les photographies d'Alger posées contre le mur. Il s'apprête à obliquer à droite en direction de la chambre du frère, mais c'est à gauche que la sœur l'emmène, vers la salle à manger où se tient un couple de personnes plus âgées. Ce sont mes parents. L'accueil est chaleureux, la mère l'appelle Éric, ce qui le met mal à l'aise, et lui serre fort la main en remerciant pour tout ce qui a été fait. Derrière elle, le petit homme à moustache fine et grise parle avec un fort accent et explique qu'ils sont venus pour les fêtes. On a laissé l'épicerie à une cousine. Et puis la mère prend le relais : On avait tellement économisé, on ne pouvait plus reculer pour repartir au pays. Mais avec ce qui est arrivé. La sœur lui touche le bras et esquisse un sourire en direction d'Éric. On sait bien, maman, et puis, tu vois, on arrive à se débrouiller entouré de bons amis !

Après, on passe voir le paralysé. Il y a du mieux, explique-t-il de sa voix métallique : il peut maintenant bouger trois doigts d'une seule main. Et il fait se mouvoir les extrémités gonflées posées sur le drap. On recommence les remerciements et les Éric par-ci, Éric par-là. La mère et le père quittent la chambre pour préparer du thé. La sœur dit combien ça lui fait du bien de les voir. Ils vont rester trois semaines, Éric, vous savez ! renchérit l'allongé dans un souffle. C'est le moment qu'il choisit pour déclarer que ce prénom n'est pas le sien. C'est un pseudonyme de travail. C'est important que vous le sachiez. En même temps qu'il prononce ces mots, il pense à Roland : N'oublie pas qu'on ne veut pas que tu existes en tant qu'individu.

Comme ils le regardent sans avoir l'air de comprendre, il insiste, se lance dans une explication compliquée : On nous oblige… Plus facile avec certains clients difficiles… Il sent qu'il s'empêtre. Le frère et la sœur se regardent sans rien dire, ont l'air ennuyé. À ce moment précis, les parents entrent à nouveau dans la chambre. La mère porte un plateau avec le thé et des gâteaux. Le père présente deux paquets ficelés dans du papier kraft. C'est pour vous. Il est confus. Fallait pas, on dit dans ces circonstances. Le premier paquet : une lanterne en cuivre avec une verrerie multicolore. Très jolie quand elle est allumée, indique la mère. Le second paquet : un plat argenté, lourd et finement ciselé. Je ne peux pas accepter. Le père lui enjoint de le retourner. Sous le plat, le prénom Éric est gravé. C'est un travail très fin, explique-t-il, on l'a commandé pour vous à un artisan de Sétif, un des meilleurs. – Vous voyez, pour nous vous êtes Éric, conclut le paralytique. Et ça représente quelque chose que ce prénom.

69

S ur la table de la salle à manger, à côté des coupures de journaux qu'il a rassemblées, il y a la lanterne de cuivre et le plat argenté dépouillés du papier kraft. Autour de la table, il y a eux deux regardant ce qui est déballé. Sur les murs, il y a l'agencement habituel, la reproduction d'un tableau de Magritte dans un cadre en bois laqué noir (cadeau d'anniversaire), un sous-verre avec des emplacements multiples pour des photographies (leur mariage, les enfants à des âges différents). Toute une vie concentrique et, posés au milieu, la lanterne de cuivre et le plat argenté forment un décor exotique auquel on n'est pas habitué. Elle soupèse le plat, le retourne et lit le prénom étonnant. Il lui explique tout. Comment le frère jumeau Éric a débordé un jour sur sa véritable identité. Pourquoi il avait besoin de sortir de son rôle pour mieux expliquer à des clients. Des processus, comme on dit, déroulements de tâches, mais qu'une seule action soit omise, qu'une seule erreur ne puisse être récupérée par ledit processus, et c'est la galère pour les clients, l'opérateur qui n'est jamais le même, l'impossible entente. Il faut expliquer aussi les appels téléphoniques qu'on repasse par acquit de conscience et ce client particulier au souffle court et à la parole métallique. Qu'aurait-elle fait à sa place ? Comment aurait-elle réagi pour se sentir à nouveau utile dans un travail qui ne lui en laissait que si peu l'occasion ? Il parle, donc, et déballe tout : les insomnies, la bizarre impression de ses mains devenues inutiles, ramollies. La bouche qui devait prendre le relais des mains, devenir experte, capable de dérouler des flots de paroles convaincantes. Il aurait dû parler plus, mais non, ça n'était pas venu davantage, hormis les conversations obligées avec les clients. Et tout ce qui était arrivé en parallèle, ces drames qu'on ne comprenait pas, les explications évidentes de la souffrance au travail, ressassées comme un leitmotiv depuis Zola. Qu'avait-on fait ? Et si c'était normal, la souffrance, la peine, le tourment, l'affliction, son bruit de flaque de pluie, la désolation en plein soleil sur fond de cactus, l'abattement au sortir d'une nuit de douleur. La mortification, l'éreintement. Les tourments, châtiments, pénitences.

Amertume, fiel, bile. Et le travail qui n'existe plus. Donc, la souffrance au travail non plus, tout ce qu'on avait entendu dans la vague médiatique. Ils n'ont qu'à s'estimer heureux, ceux qui bossent. Nous, on a trimé toute la vie. La patrie reconnaissante fabrique chaque année une fournée d'heureux pensionnaires, ceux-là mêmes qui n'hésiteront pas à médire de ceux qui payent leur retraite : Pas assez travailleurs, trop pleurnichards, de mon temps... Et les mêmes d'estimer une échelle de la souffrance avec le chômage en haut, les fonctionnaires en bas. Concepts tournés, retournés, discussion inusable. Qu'est-ce qui nous manquait pour conclure ces controverses incessantes ? Et qu'un type, plus immobile que tous ceux qu'il côtoie, qu'un type comme le paralysé puisse alors le distraire de ces discours convenus, ça il ne l'aurait jamais imaginé. Respect pour lui. C'est ce mot aujourd'hui qui lui vient à l'esprit, respect. Considération, attention, tact, déférence, égard, estime, politesse : toute une intelligence du cœur, quelques clés à manœuvrer, quelques portes à ouvrir pour pouvoir un peu moins souffrir dans cette vie. Et que cette bouche qui avait été incapable de prendre le relais des mains, qui l'avait empêché de se sentir enfin reconnu, professionnel, ça avait dû contribuer aussi à la rencontre avec le paralysé, sans doute en avait-il eu besoin pour se sentir utile. Elle écoute la logorrhée inces-

sante, ressassée, et la peur revient, obsession-
nelle : Tu ne vas pas déprimer comme avant ?
Avant, c'est se souvenir des journées de lent
marasme, heures passées à remâcher ce qui
n'était devenu qu'un bruit de fond : il fallait
faire du moins dans l'équipe, éliminer à
l'aveugle de la chair en trop. Combien au
juste, on ne savait pas trop, on rabâchait juste
les mêmes graphiques de la productivité, une
courbe de commande qui partait en fléchis-
sant, une courbe de charge de personnel qui
ne cessait de monter. Le moins avait fini par
prendre visage : le sien et quelques autres. On
dissolvait une équipe, on répartissait le boulot
sur un autre groupe, eux, solidaires de la
débâcle des autres au début, finissaient par
louer cette activité supplémentaire qui les sau-
vait. Lui et les quelques autres avaient lentement dégringolé. Au départ révoltés contre ce
coup du sort. La boîte n'avait jamais embau-
ché. Depuis vingt-cinq ans, c'étaient les mêmes
têtes avec qui on bossait, jamais un problème,
rarement de malades, et pourtant les articulations vieillissaient mais l'engagement restait le
même, merde : ils pourraient avoir un peu de
considération. Et puis il avait vu le bout du
tunnel avec ce nouveau travail. Elle avait cru
qu'avec les mains plus blanches et un jean neuf
il pourrait repartir de zéro. Il lui prend les
doigts, entrechoque par habitude son alliance

avec ses bagues : Ne t'inquiète pas. Je vais bien. Courir, ça m'aère, ça me défoule, j'ai l'impression de me sentir exister et ça m'empêche de penser à tout cela.

70

Le respect ne fait pas tout, dit Roland : tu peux expliquer avec déférence à quelqu'un qu'il sera toujours un être inférieur à toi. Tu peux être un dictateur et envoyer poliment des millions de personnes à la mort. Mais tu as raison, on a manqué de respect à beaucoup depuis bien longtemps, à commencer par nos clients, comme dirait Maryse. Et la grossièreté, dans l'expression contraire du respect, s'est manifestée partout comme une nouvelle manière d'agir. Tiens, regarde, en parlant de grossièreté. Il tend un quotidien laissé sur la table de la salle de repos. C'est une liste des meilleurs salaires des présidents d'entreprise. Je n'arrive même pas à imaginer ce que ça représente comme argent, je trouve cela vulgaire et obscène. On voudrait préparer une révolution qu'on ne s'y prendrait pas autrement.

Qui veut faire la révolution ? C'est Robert, qui entre dans la pièce, dépose un plateau de petits fours. Je croyais que ce mot désignait la course d'une planète autour du soleil, ajoute-t-il, en mimant un avion. Avec ta tête de globe terrestre, tu devrais savoir ça, vieux gauchiste ! Roland sourit : Tu as raison, la révolution, ce n'est jamais qu'une course autour de soi. Robert ressort puis réapparaît aussitôt avec un autre plat et deux bouteilles de champagne. Maryse lance par-dessus sa mèche : Alors, c'est le grand jour ! D'autres arrivent. Le chef est également présent ainsi que la chargée de marketing. Robert distribue les verres puis, comme à son habitude, s'appuie lourdement sur la table qui supporte les micro-ondes. Bon, on ne va pas faire un discours, hein. C'est à ce moment que le petit moustachu en profite pour passer un visage amène par la porte entrebâillée. Vous m'excuserez, déclare Robert en se plaçant devant la porte, mais vous n'avez pas suffisamment atteint vos objectifs pour boire un coup avec nous. On ne voit pas la tête du moustachu qui repart, on entend juste ses pas dans le couloir. Maryse pouffe, la main devant la bouche : Ça, je n'aurais jamais osé.

Robert est le premier à partir du service grâce aux nouveaux accords de départs anticipés. J'aurai gagné plus d'un an, dit-il. Il n'a pas voulu de la convivialité imposée par l'entreprise : J'apporterai mes propres bouteilles et j'inviterai qui je veux à mon pot de départ. Après lui, Roland pourrait prétendre à s'en aller. Mais pourquoi je resterais à m'ennuyer chez moi ? déclare-t-il. Pourtant il fait figure d'exception. Déjà, la liste des prétendants s'allonge. On entend un peu partout dans les couloirs, dans les conversations à la cantine : Dans un ou deux ans, je m'en vais. On a l'impression de repartir quelques années en arrière, au moment des vagues de préretraités. Le dispositif ne sera que provisoire, un à trois ans au plus, mais ce sera suffisant pour générer à nouveau l'insatisfaction de ceux qui ne pourront pas en bénéficier. Est-ce qu'on saura, cette fois, accompagner les plus anciens et éviter qu'on retombe dans les drames ?

Maryse annonce à Robert : J'ai appelé Christian. Il va mieux, il devrait reprendre le travail dans une semaine ou deux. – Et zut, il revient quand je m'en vais, conclut Robert.

71

S on monument aux morts ne comporte pas
d'aigle glorieux, de coq vindicatif, de
Jeanne d'Arc au drapeau brandi. C'est une simple feuille décrochée du carnet. Il a recopié à
l'encre noire du stylo quatre couleurs les prénoms qu'il a rassemblés : Armelle, Damien,
Jean-Paul, Michel, Nicolas, Stéphanie, Sylvain.
La liste est affichée à côté de l'autocollant circulaire du camping trois étoiles de Pornic. À
part lui, personne ne sait ce que ça signifie. Ça
ressemble à une série de clients à rappeler,
quelques affaires en instance, c'est discret. Le
temps qu'il restera à ce poste de travail, ça sera
ainsi accroché sur le revêtement bordeaux au-
dessus du téléphone. Il regardera parfois la
feuille, le casque sur la tête. Vous êtes bien
monsieur/madame/mademoiselle. Il l'oubliera,
de la même manière qu'on a fini par ne plus

voir les poilus de fer-blanc sur la place des villages et les noms des disparus gravés sur le socle. Il y repensera parfois, égrènera la liste comme un chapelet. Il y aura du passage sur le plateau, la valse des chefs, les figures familières, Maryse, Roland. Robert a promis de passer les voir. De temps en temps, hein, pas trop souvent, il y a d'autres filles que toi qui m'attendent, a-t-il dit à Maryse avec un clin d'œil. Les mères continueront de commenter les publicités des supermarchés, la semaine du blanc, les chocolats de Pâques, les meubles de jardin à l'approche des beaux jours. L'encre noire de la feuille affichée finira par pâlir. Les syllabes assembleront dans l'ombre du paravent des prénoms qui continueront d'exister. Les familles, dans le silence de la douleur, resteront dans l'ignorance de cette liste et du maigre hommage qu'il leur rend ainsi.

72

L a course est haletante. Il force sur les muscles, il insiste sur le souffle. Ses bras se déplacent comme des bielles de locomotive à vapeur. Ses poings agrippent l'air, tentent de le tirer derrière lui et d'avancer plus vite encore. L'eau calme du canal, paysage habituel des entraînements, est aujourd'hui absente, sa tranquillité horizontale est remplacée par un mur fuyant, coloré, tapageur. Des spectateurs indiscrets et frénétiques s'agglutinent par paquets derrière des barrières de sécurité. Par moments, dans le repos d'une rue déserte, on entend juste le martèlement des foulées, la respiration de forge du ruban des coureurs. Puis les cris reprennent. Ici c'est une famille qui encourage un participant, lequel répond avec force signes. Là c'est un entraîneur, chronomètre à la main, qui hurle des mots incompréhensibles. Les foulées, jusqu'à présent contrôlées, s'emballent au rythme d'une cavalcade qui l'enserre de tous côtés et accélère sans cesse. À sa gauche un grand type le dépasse, avec deux autres plus petits dans son sillage. Il rattrape un coureur en maillot orange, fait un écart et le double en accélérant. Le sang cogne à ses oreilles. Les cris des spectateurs derrière les barrières se font plus pressants. On entend des prénoms, des applaudissements. L'angle de la rue révèle un faux plat qui tire douloureusement les mollets et coupe la respiration. On le dépasse encore. Il résiste, tente de modifier le rythme de l'air qui pénètre en lui : expirer profondément, inspirer vite et avec force. Il essaie de se concentrer sur sa respiration mais des milliers de pensées le traversent curieusement. Est-ce le manque d'oxygène ? Pensée numéro un : le jour de son arrivée au travail, la sensation du casque sur les oreilles, du microphone devant la bouche. La bosse du faux plat s'estompe, le souffle revient lentement. Pensée numéro deux : Maryse, Robert, Roland. Un dernier carrefour à traverser, un commissaire de piste lui fait signe pour la direction à prendre. Pensée numéro trois : Vous êtes bien monsieur/madame/mademoiselle ? Voici la dernière ligne droite. Pensée numéro dix : la période des drames au retour des vacances. Au loin, on devine les lumières de la ligne d'arrivée, le podium du chronométrage. Pensée numéro vingt : son travail qui devient routinier. L'arrivée se rapproche, s'il faut accélérer pour terminer en beauté c'est maintenant ou jamais. Pensée numéro cinquante : remettre de l'humain dans les rouages. Il allonge les foulées. Pensée numéro cent : la reprise en main par la boîte avec toujours les mêmes. Il lui semble que ses jambes ne suivent pas, devenues comme insensibles. Pensée numéro cent : Le monde est plein de gens qui ne sont pas plus sages. Tout bourgeois veut bâtir comme les grands seigneurs. Tout petit prince a des ambassadeurs. Tout marquis veut avoir des pages. Le maillot lui colle à la peau, des gouttes de sueur lui brûlent les yeux. Ses bras vont chercher des poignées d'air encore un peu plus loin, encore un peu plus crispées. Son souffle est saccadé. Pensée numéro mille : les mots du paralysé à sa dernière visite : Cours pour moi ! Devant lui, un type vacille, il le dépasse, puis un autre qui avance lentement. La haie des spectateurs devient ininterrompue, agitée, rugissante. Il entrevoit nettement le collègue qui avait participé l'année précédente, le visage amaigri par l'infarctus et qui crie son prénom, le vrai, pas Éric, celui de sa vie d'avant. Cours pour moi ! Pas une foulée où les mots du paralysé ne l'aient accompagné. La ligne est maintenant à une centaine de mètres. Quelqu'un le dépasse à grandes enjambées en soufflant comme une locomotive. À son tour, il en double deux qui se relâchent. L'expression courir comme un dératé. Il faut se concentrer, derniers souffles. Un autre coureur encore, le 66, deux mètres devant lui. C'était son numéro de dossard l'année précédente. Dépassé encore. Et les poteaux d'arrivée devant lui, le commissaire de course retient un spectateur qui veut traverser. Cours pour moi ! Il courbe la tête pour passer la ligne comme il a vu faire à la télévision. L'élan continue sur quelques mètres encore. On lui fait signe d'obliquer sur la gauche. Il remarque seulement à ce moment les grappes des coureurs arrêtés, les tables du ravitaillement. Ses jambes sont maintenant arrêtées mais tremblantes. Le corps cassé, plié en deux, le souffle qui manque, les inspirations hachées. On dirait que l'air ne va plus jamais entrer. Et la gorge brûlante, la sueur en fontaine le long du nez. Les genoux qui continuent de frémir, les pieds écartés, la tête qui tourne, l'envie de vomir. Elle dit : Ça va ? Il se redresse, fait signe que oui. Il ne peut pas parler encore. Son geste pour lui essuyer le front avec la serviette apportée exprès. Et les enfants qui tendent un quartier d'orange, une boisson. T'as fait combien ? demande le fils. Impossible de répondre, le souffle est si court encore. Des groupes de coureurs s'égaillent vers la sortie. Il doit être dans les derniers mais ça n'a aucune importance. La tactique de la tortue. Partir à point. Mais tellement de situations dans l'existence pour se sentir éparpillé, éjecté, largué. La technique de l'escargot alors, s'enrouler sur soi mais baver sur les autres. Ou la contraction du boa, étouffer quiconque. La fille lui tend une veste : Couvre-toi, tu vas attraper froid. Les milliers de pensées s'estompent. Tout ce qu'il a subi, tout ce qu'on nous apprend, la compétition, l'identité, l'individu et sa place à gagner dans le vaste monde. Elle le regarde, la serviette à la main, déjà le hâle de l'été, la couleur du bonheur. Le cœur cogne déjà moins, le souffle s'apaise, il peut parler, répondre, sourire, dire que, oui, décidément tout va bien. Le monde ? Faire avec, vivre autour, s'abandonner aux mots sauvages.

Photocomposition Nord Compo
Villeneuve-d'Ascq

CET OUVRAGE
A ÉTÉ ACHEVÉ D'IMPRIMER
SUR ROTO-PAGE
PAR L'IMPRIMERIE FLOCH
À MAYENNE EN SEPTEMBRE 2010

Imprimé en France
Dépôt légal : mai 2010
N° d'imprimeur : 77566
36-33-0690-2/02